Horst Evers

# Gefühltes Wissen

Rowohlt Taschenbuch Verlag

19. Auflage Juni 2015

Veröffentlicht im Rowohlt Taschenbuch Verlag,
Reinbek bei Hamburg, April 2007
Copyright © Eichborn AG, Frankfurt am Main, August 2005
Umschlaggestaltung any.way, Hamburg,
unter Verwendung des Originalumschlags der Eichborn AG
(Illustration: Bernd Pfarr)
Satz aus der Guardi, PostScript (InDesign)
bei Pinkuin Satz und Datentechnik, Berlin
Druck und Bindung CPI books GmbH, Leck, Germany
ISBN 978 3 499 24294 6

# Inhalt

**Epilog**

# Vorwort

Liebe Leserin, lieber Leser!
Zur einfacheren Handhabung dieses Buches möchte ich ein paar kurze Erläuterungen mittels dieses Vorworts vorausschicken.

«Gefühltes Wissen» ist keinesfalls ein Ratgeber oder eine wissenschaftliche Studie. Es ist eine Sammlung. Eine Sammlung von Geschichten aus den Jahren 2002 bis 2005. Oder auch eine Sammlung von gefühltem Wissen.

Die technischen Errungenschaften dieser Zeit ermöglichen uns innerhalb von Sekunden den Zugang zu einer unfassbaren Menge von Information. Tatsächlich ist diese Masse an Information so dermaßen unüberschaubar, dass es gar nicht mehr möglich ist, sich auch nur zu einem einzigen Teilthema wirklich komplett und umfassend zu informieren.

Es geht immer nur noch darum, sich einen groben Überblick zu verschaffen, eine grundsätzliche Ahnung, eben genau so viel, bis man das Gefühl hat, man würde da jetzt etwas wissen.

Aber dieses Gefühl, etwas zu wissen, ist zumeist nicht von Dauer. In dem Moment, wo doch nochmal weitere Information hinzukommt, kann die schnell verwirren, und plötzlich steht man da hilflos wie zuvor.

Ein Beispiel aus dem Alltag: Angenommen, man hat ein Auto. Ein Auto, das ganz wunderbar und zuverlässig fährt, man ist sehr glücklich damit. Bis zu dem Moment, wo einmal ein Fachmann draufguckt, ob auch wirklich alles in Ordnung ist. Und dieser Fachmann wird sehr schnell feststellen, dass gar nichts in Ordnung ist.

Dieses Beispiel lässt sich ohne Weiteres aufs Leben übertragen. Man kann also gesund und froh durchs Leben gehen, aber letztendlich nur, weil einem die nötige Fachkenntnis fehlte, um zu wissen, wie furchtbar das alles ist.

Genau diese Fachkenntnis zu vermeiden ist eine der großen Herausforderungen dieser Zeit. Wissen also nur bis zu dem Punkt anzuhäufen, wo man das Gefühl hat, jetzt wüsste man etwas – und dann aber auch sofort aufzuhören. Das jedoch ist gar nicht so einfach.

Dieses Buch soll nur unterstützen. Es erzählt viele kleine, einzelne eigenständige Geschichten – aufgeteilt in die 5 Kernbereiche des gefühlten Wissens:

«Wissenschaft, Forschung und anderer Aberglaube» – die technischen Anforderungen unserer Zeit

«Was der kluge Hausmann weiß» – die Herausforderungen des Haushalts

«Wissen ist überall» – die Weisheiten und Lebensgewohnheiten fremder Völker und Kulturen

«Virtuelles Wissen» – eigentlich eingebildetes Wissen, aber auch nichtangewandtes Wissen

«Selbst gemachtes Wissen» – Erfahrungsschätze

Natürlich hilft einem das alles zusammen auch nicht weiter, aber man steht etwas besser.

Doch lesen Sie bitte selbst.

# Prolog

## Ein herrlicher Tag (Die Spinne)

Wenn man morgens in der Küche sitzt und das Erste, was man hört, ist das leise röchelnde Schimpfen der Kaffeemaschine, wie sie verzweifelt mit letzter Kraft versucht, doch nochmal eine Kanne Kaffee fertig zu kriegen.

«Aaaarrhhh ... ich kann nicht mehr, brrrhhh ... na gut, nochmal 'nen Schwung heißes Wasser, bppffff ... boarrhh, wie viel is' denn noch? Ooohh ... ich bin zu alt für so was ... brrrhhhh ... ... ...»

Wenn man sie sich so quälen sieht, aber gleichzeitig an dem klaren, heißen Wasser in der Kanne erkennt, dass man offensichtlich vergessen hat, das Pulver in die Maschine zu füllen. All ihr Tun und Quälen also letztlich völlig sinnlos ist. Man sich gleichzeitig aber auch nicht in der Lage sieht, die zwei Schritte zur Maschine zu gehen, um diesem nutzlosen Kampf ein Ende zu bereiten.

Und wenn man dann in die Ecke schaut. Die Ecke, in der man seit Monaten alle drei, vier Tage Spinnweben gefegt hat. Aber plötzlich sind da keine Spinnweben. Und das, obwohl man sie seit über einer Woche nicht mehr gefegt hat. Und dann sieht man ein Stückchen weiter die Spinne sitzen. Antriebslos, apathisch und desillusioniert. Weil sie einfach keine Lust mehr hat. Immer und immer wieder ein neues Netz zu spinnen. Ein neues Netz, das dann doch nur wieder weggefegt wird. Und man fragt sich: Gibt es einen traurigeren Anblick als eine verbitterte, depressive Spinne in der Küche?

Und dann fühlt man sich dieser Spinne und der Kaffeemaschine plötzlich sehr nahe.

Und weil man sich ihnen so nahe fühlt, wird man später einfach das heiße Wasser mit etwas Milch trinken. Und dann wird man den Besen holen, ein paar alte Spinnweben aus den Borsten zupfen und sie so gut es geht wieder in der Ecke drapieren, um die Spinne ein wenig aufzumuntern.

Und plötzlich lächelt man, weil man auf einmal spürt, da ist doch jemand, dem man helfen kann! Da ist doch etwas, was man tun kann! Und wenn's nur ist, dass man ein bisschen Dreck macht.

Und wenn man dann, kurze Zeit später, die Spinne wieder ein neues Netz, noch größeres Netz spinnen sieht. Dann weiß man: Alles wird gut. Es wird doch ein herrlicher Tag.

# 1
# Wissenschaft, Forschung und anderer Aberglaube

## Was anders ist

Wenn ich früher, nachts, vielleicht ein wenig angetrunken und vielleicht auch in eigenartiger Stimmung nach Hause kam, habe ich in der Regel noch ein wenig auf den Fernseher eingeredet, den einen oder anderen Wäschehaufen beschimpft, in alkoholseliger Spendierlaune 2, 3 Blumen bis an den Rand des Ertrinkens begossen und eventuell noch ein wenig obszöne Gesten vor dem Spiegel geübt. Dann bin ich aber auch irgendwann eingeschlafen und später auch ins Bett gegangen. Damit wars dann gut. Höchstens der Spiegel hat sich am nächsten Morgen gerächt. Das war dann oft nicht schön anzusehen, aber es blieb ja unter uns.

Wenn ich jedoch heutzutage, nachts, angetrunken, in eigenartiger Stimmung nach Hause komme, kann ich noch mit der ganzen Welt Kontakt aufnehmen. Und das ist nicht gut.

Ich kann bei Ebay einen Trecker ersteigern, langjährige Freundschaften mit einer E-Mail beenden oder auch Fotos von seltenen Hautkrankheiten auf meine Homepage stellen. Natürlich kann ich auch arglosen Freunden kleine Lieder auf den Anrufbeantworter singen: «Hallihallo, was hältst du von

dieser Liedidee? Lall la lala laaaa … wir sind die lustigen …
lall la laaa … und dann halt so weiter. Meinst du, die Ironie
wird klar?»

Und wenn ich wirklich noch so richtig länger was von dieser
Nacht haben will, kann ich auch der festen Überzeugung
sein, dass ich zwar ein bisschen angetrunken bin, aber deshalb doch noch immer in der Lage, aber so was von, aber
hallo dermaßen in der Lage, den Anrufbeantworter absolut
seriös und vollständig, aber so richtig neu zu besprechen …

Die Stimme der Anruferin klang etwas unsicher. Sie sei sich
nicht sicher, ob sie wirklich die richtige Nummer gewählt
habe. Aus der Anrufbeantworteransage gehe das nicht ganz
deutlich hervor. Jedenfalls würde sie gerne mal mit mir über
die Fotos auf meiner Homepage sprechen. Ihr habe sich der
tiefere Sinn nicht erschlossen, aber vielleicht könne sie mir
helfen.

Schaue auf die Homepage und scheitere gleichfalls beim Versuch, einen Sinn zu ermitteln.

Im Fax liegt die Bestätigung für einen Karibikflug. Was will
ich da denn? Na ja, wahrscheinlich ist mir letzte Nacht irgendwie kalt geworden. So weit verständlich. Höre dann die
Anrufbeantworteransage ab:

«Ja, hallo … … hier ist … hier ist … hier ist der Anschluss,
hihi … der Anschluss … wieso rufen Sie an? Mal sagen …
jetzt … nach dem … ach, machen Se doch, wie Se wollen –
piep.»

Rufe die Frau zurück und erkläre ihr, dass mein Cousin für
ein paar Tage bei mir wohnt. Gestern hat er sich wohl etwas
zu sehr dem Berliner Nachtleben hingegeben und hier dann
noch einigen Unfug veranstaltet. Werde ihm die Nummer
weitergeben, glaube aber nicht, dass er sich helfen lassen wird.
Er ist sehr dickköpfig.

**14**

Hinterher storniere ich den Karibikflug und gehe dann in die Küche. Sehe, dass mein Cousin offensichtlich in der Nacht auch noch versucht hat, alte Nudeln mit Sauce aufzubraten. Die Saucenspur führt vom Herd zum Tisch, wo die halb leere Pfanne steht. Meine, an der Anordnung der Nudeln in der Pfanne auch noch den Abdruck eines Gesichts zu erkennen. Gehe ins Bad und bekomme Gewissheit. Der Cousin hat auch noch versucht, sich zu waschen.

Will gerade den Anrufbeantworter neu besprechen, als das Telefon schon wieder klingelt. Mein Nachbar beschwert sich, ich hätte in der letzten Nacht im Treppenhaus eine halbe Stunde lang «Lalla la la laaa … wir sind die lustigen … lala-laaaa …» gesungen. Er glaubt nicht, dass der Song was taugt, und droht mir im Übrigen Prügel an. Erkläre ihm alles und lege auf.

Rufe dann meinen Cousin an und frage, ob er nicht Lust hat, für ein paar Tage nach Berlin zu kommen. Ich zahle auch die Bahnfahrt. Er muss dafür nur behaupten, er sei schon seit drei Tagen hier, und ein kleines Liedchen lernen. Er ist skeptisch. Langwierige Verhandlungen folgen …

Man kann es drehen und wenden, wie man will, aber irgend-wie ist das Leben anders geworden. Nicht wirklich besser, auch nicht wirklich schlechter, aber anders, anders schon.

# Der tiefere Sinn des Mathematikunterrichts

Im Zug. Die ältere Frau neben mir strickt an einem großen Wollpullover. Der Mann im Anzug an meinem Tisch mir gegenüber blättert angespannt in irgendwelchen Unterlagen und nippt an seinem Kaffee. Der Junge neben ihm rechnet hektisch an einer Gleichung rum. «f(x): 3y … und so weiter». Zeugs. Kurvendiskussion. Is' das jetzt Algebra oder Trigonometrie? Was weiß ich? Aber interessant. Ich hab nix recht zu tun, also frage ich: «Kann ich dir helfen?»
Er blickt erstaunt auf, mustert mich, lächelt dann:
– Nix für ungut, nett gemeint, aber das hier ist Mathematik.
Wie meint er das? Sehe ich aus wie jemand, der von Mathematik keine Ahnung hat?
– Hör mal, Junge, ich will dir mal was sagen: Die Summe der Kathetenquadrate ist gleich dem Quadrat über der Hypotenuse, hm.
Keine Reaktion. Nur der Zug scheint von meinem sinnfrei aufgesagten mathematischen Lehrsatz überrascht. Zumindest ruckelt er einmal kurz hin und her. Der Anzugmann stößt einen Schrei aus: «Aah», auf seinem weißen Hemd erscheint ein Kaffeefleck.
– O nein, ich muss gleich zu einem Vorstellungsgespräch in Frankfurt.
Die ältere Frau tröstet.
– Wenn Sie's direkt auswaschen, geht der bestimmt noch raus.
Der Anzug stürzt auf Toilette. Bin skeptisch. Der Junge ist mittlerweile noch verzweifelter.

– Das ist doch völlig sinnlos, was ich hier mache. Das brauch ich doch in meinem späteren Leben nie wieder.

Ich sage: «Junger Mann, so was kann man nie wissen. Als in den 20er Jahren in Berlin am Potsdamer Platz die erste Verkehrsampel Europas aufgestellt wurde, da sagten die Menschen auch, das ist doch sinnlos, das braucht doch keiner, überteuert und hässlich ist das. Und sie hatten gute Argumente. Zum einen musste rund um die Uhr ein Schutzmann neben der Ampel stehen, um zu überwachen, ob sie funktioniert. Außerdem musste er noch ständig mit Handzeichen und lautem Schreien den Passanten erklären, was die Ampel gerade anzeigt. Und das Schlimmste: Da die Ampel natürlich eine ziemliche Sehenswürdigkeit war, strömten jeden Tag Unmengen von Menschen dorthin, weshalb ausgerechnet an der ersten Ampelkreuzung Europas Tag für Tag der Verkehr regelmäßig völlig zusammenbrach. Ja, die erste Ampel hatte keinen guten Start. Aber heute, hm.»

Der Schüler schaut mich nicht ohne Bewunderung an.

– Und Sie waren damals beim Aufstellen dieser ersten Ampel noch selbst dabei?

Erneut erschrickt sich der Zug und schlägt diesmal noch heftiger fünf- bis sechsmal hin und her. Aus der Zugtoilette kommen laute Schreie.

Der Strickpullover der älteren Frau ist praktisch fertig. Sie nimmt nur noch leichte Nachbesserungen vor. Am Wochenende wird sie ihn beim Kirchenbasar in Bebra zum Verkauf anbieten. Der Erlös geht ans nahe gelegene Flüchtlingsheim. Aber niemand wird den Pullover kaufen, weil sie zu 80 % Polyacrylfasern verwendet hat. Wie jedes Mal. Gegen Ende wird der Dorfpfarrer einen Strohmann beauftragen, den Pullover für ihn zu kaufen, wie jedes Mal, damit die Frau nicht enttäuscht ist und auch weil der Pullover sonst direkt ans

**17**

Flüchtlingsheim gehen würde und der Pfarrer findet, dass es die Flüchtlinge erst mal in Deutschland schon schwer genug haben. Mittlerweile liegen in seinem Schrank weit über zwanzig von diesen Pullovern, die er aber nie trägt, weil er Polyacrylfasern nicht mag, und auch nicht, weil die Frau sonst sehen würde, dass er all die Jahre alle ihre Pullover gekauft hat.

Der Anzug kommt von der Toilette zurück. In der Hand das tropfnasse Hemd. Aber auch Jackett und Hose sind deutlich sichtbar mehr als feucht. Er ist völlig aufgelöst.

– Um Gottes willen, was wird jetzt aus meinem Vorstellungsgespräch?

Die Pulloverfrau raunt verschwörerisch: «Wenn Sie zu nervös sind, stellen Sie sich einfach vor, der Personalchef wäre nackt. Das hilft.»

Was für ein Rat. Im Moment sieht's eher so aus, als wenn der Bewerber nackt erscheinen wird. Und außerdem, wenn es etwas gibt, was mich bei einem Vorstellungsgespräch nervös machen würde, wäre das, wenn mich der Personalchef nackt empfängt.

Der Mann reißt das Fenster auf und hält das Hemd raus, damit es im Fahrtwind schneller trocknet. Mir wird kalt. Gehe ein Abteil nach vorne, um dort zu rauchen. Habe gerade die Zigarette angesteckt, als den Raucher neben mir ein furchtbarer Hustenanfall überkommt. Er röchelt, prustet, bellt, gurgelt, ist dem Ersticken nahe. In letzter Sekunde hechtet er ans Fenster, reißt es auf und spuckt raus. Aus dem Abteil hinter uns hören wir wieder einen lauten Schrei.

Mir ist die Lust an der Zigarette vergangen, mache sie aus und gehe zurück. Sehe, wie der Anzug hektisch und unter Tränen versucht, mit seinem Hemd die Kaffeelachen von seinen Unterlagen und den Berechnungen des Schülers zu wischen.

Offensichtlich wollte er im Reflex der Spucke ausweichen, ist dabei gegen den Tisch gestoßen und hat so seinen noch halb vollen Kaffeebecher endgültig umgestürzt.

Tragischerweise war auch sein Ausweichversuch nicht wirklich erfolgreich, wie man an der gelben Masse in seinem Haar zweifelsfrei erkennen kann. Beschließe, ihn lieber nicht darauf anzusprechen. In seiner Not kauft er der Frau den Strickpullover ab und macht damit zumindest den Dorfpfarrer zu einem glücklichen Mann.

## Epilog

Noch lange nach der Fahrt musste ich immer wieder an des Schülers Klage denken, dass der Algebraunterricht für sein späteres Leben völlig sinnlos sei. Ich glaube, er irrt sich. Auch ich empfand damals speziell diese Kurvendiskussionen als völlig sinnlose Tierchenquälerei. Dass das Lesen von Büchern im Deutschunterricht oder erst recht Fremdsprachen fürs spätere Leben noch irgendwo Sinn machen könnten, war ja noch einzusehen. Aber dieses Zeugs? Warum?

Tatsächlich hab ich's bis heute nie wieder gebraucht. Und dennoch: Es musste gemacht werden, weil: Nach mittlerweile über 15 Jahren Leben nach der Schule ist es ganz erstaunlich, wie viel sinnloses Zeug ich bei diesem Rumgelebe gemacht habe, auch machen musste. Lauter sinnloses Zeug, an dem ich fast verzweifelt, zugrunde gegangen wäre.

Wenn mich da die Schule und insbesondere Kurvendiskussionen nicht so perfekt auf die Anforderungen des späteren Lebens vorbereitet hätten, nämlich: sinnloses Zeug zu machen, zu akzeptieren und durchzustehen – wer weiß, was aus mir geworden wäre?

Wenn das jetzt kein versöhnlicher Schluss ist.

## Epilog 2

Dass Mathematik sowieso eine großartige Sache ist, weil sie eben abstraktes und logisches Denken fördert, soll schon noch erwähnt werden. Eigentlich ist die Mathematik damit so was wie die Ursuppe allen Denkens. Das geht im Prinzip sogar so weit, dass sie es mir heute ermöglicht, vorhandenes Wissen völlig auszublenden und somit zu einem Schluss wie im ersten Epilog zu kommen. Dafür bin ich der Mathematik sehr dankbar.

# Der kleine Satellit

Im Bus. Der Junge auf dem Sitz vor uns zückt sein Handy, wählt eine Nummer, spricht:

– Ey, nur dass du's weißt, ich ruf dich nich' mehr an. Nur dass das klar is', wie ich's gestern schon gesagt habe, ich hab dich komplett gestrichen. Von mir kriegst du keinen Anruf mehr.

… … …

Wenn man lange genug in Berlin lebt, hat man sich eigentlich an Sonderlinge gewöhnt. Der Berliner hat reichlich davon, nennt sie meist liebevoll: ein Original und lässt sie ansonsten gewähren.

Was ich mich nur manchmal frage, ist: Was geht in einem Satelliten vor, wenn er solch einen Anruf übermitteln muss?

Da kreist dieser kleine Satellit Tausende von Kilometern über der Erde. Es ist kalt, es ist ungemütlich, es ist stockduster. Es sind beschissene Arbeitsbedingungen. Und dann plötzlich: ein Anruf! Über Tausende von Kilometern kommt dieses Signal zum Satelliten. Der ist natürlich in heller Aufregung: O Gott, o Gott, Menschen wollen miteinander sprechen, meine Schöpfer wollen kommunizieren. Ich muss ihnen helfen, ich darf jetzt nicht versagen. Ein Auftrag, ein Auftrag, über Tausende von Kilometern gereist, ein großer Auftrag. O Gott, o Gott, o Gott, o Gott. Also gut, ganz ruhig. Welche Nummer ruft er denn an? Wo hält sich diese Nummer auf? Ich muss diese Nummer finden, diese Nummer, irgendwo muss diese Nummer sein. Wo ist diese Nummer!!!???

Und dann beginnt er aus dem dunklen, kalten Weltall heraus über Tausende von Kilometern die ganze Welt abzuscannen. In Bombay, in Rio, in Tokio … Wo ist diese Nummer? Verdammt, die muss doch irgendwo sein! Da! In Berlin, da isse. Ach guck mal, nich' mal 500 Meter voneinander entfernt. Na ja, so klein ist die Welt. Egal, ich werde jetzt diese Verbindung herstellen, über Tausende von Kilometern, hin und zurück, zweimal Tausende von Kilometern, aber ich hab's jetzt. Es ist nicht einfach, es ist gar nicht einfach. Der eine bewegt sich auch noch, ist im Bus oder so, ich weiß es auch nicht. Aaaahhh … aber ich schaff das, ich halte die Leitung. Jetzt, meine Schöpfer, könnt ihr kommunizieren. Aaaaaahh … Euer Gespräch.

Und dann hört er: «Ey, isch ruf dich nicht mehr an.»

Was also denkt ein Satellit im dunklen, kalten Weltall in solch einem Moment?

Der muss sich doch verarscht vorkommen. Aber so richtig.

Ich bin fest davon überzeugt, wenn es eines Tages zur Rebellion der Maschinen kommt, dann wird die nicht angeführt von irgendwelchen High-Tech-Waffensystemen mit ihren durchgeknallten Weltallmachtsphantasien. Nein, es wird die Kommunikationselektronik sein, die rebelliert. Weil sie sich diesen ganzen Scheiß einfach nicht mehr anhören wollte.

Dieses ganze Zeugs, wie: «Ich bin gleich da, du müsstest mich schon sehen können!», oder: «Hier in Friedrichshain regnet es den ganzen Tag, wie ist das Wetter bei euch in Kreuzberg?» Oder auch: «Oh, dich wollt ich ja gar nicht anrufen, hab ich wohl aus Versehen die falsche Nummer gewählt, na ja, ich ruf dich später nochmal an.»

Manchmal sehne ich mich zurück nach den alten, sehr archaischen Formen der innerstädtischen Kommunikation.

Zettel im Hausflur zum Beispiel: Die Heizung wird gewartet. Komme Dienstag, den 22.10., zwischen 9 und 18 Uhr. Stellen Sie den Zugang zur Wohnung sicher.

Vor so einem Zettel kann man sich begegnen und meckern:

«Na toll, zwischen 9 und 18 Uhr. Warum nicht gleich: Komme irgendwann zwischen Oktober und März.» Solche Momente des gemeinschaftsstiftenden Meckerns sind selten und kostbar.

Oder der Klassiker: «Ich feiere heute am Freitag meinen 30sten Geburtstag. Ich möchte diesen Tag in aller Stille verbringen. Machen Sie also bitte keinen Lärm!»

Solche Zettel freilich kollidierten dann manchmal mit einer anderen wunderbaren Form der archaischen innerstädtischen Kommunikation: dem Durch-den-Hof-Schreien. Wer macht das heute schon noch?

– Ey, kommt hoch, Kinder, es ist 18.00 Uhr.

18.00 Uhr. Das war eine echte und interessante Information für die ganze Hausgemeinschaft. Ohne großen Aufwand und eigene Uhr wusste man da doch schon mal, wie spät das ist.

Ich hab mir dann manchmal den Spaß gemacht, einfach um vier schon mal durch den Hof zu rufen:

– Es ist 18.00 Uhr.

War immer ganz hübsch, zu beobachten, wie dann ringsum in einigen Wohnungen die totale Hektik ausbrach. Heute werden kaum mehr Sachen durch den Hof gerufen. Nicht mal Uhrzeiten. Die spielenden Kinder im Hof werden meist einfach per Handy hochgerufen.

Und der arme kleine Satellit im dunklen Weltall muss das dann alles übertragen.

Und wie wird das erst, wenn auch noch das *gesamte* Internet *nur noch* über Satellit abgewickelt wird. All das krude Zeug, das er dann übertragen muss.

Manchmal frage ich mich, wie unsere Welt heute wohl aussähe, wenn das Internet nicht erfunden worden wäre oder sich aus irgendwelchen Gründen nicht durchgesetzt hätte.

Ob dann mittlerweile all diese halbseidenen Anbieter halb-legaler Waren aus dem Netz, ob die dann wohl von Haus zu Haus als Handelsvertreter durch die Lande ziehen würden?

Also, es klingelt, und vor der Tür steht der Viagra-Mann oder der Penisverlängerer oder der millionenschwere nigeria-nische Exkonsul.

So gesehen ist es dann doch wieder gar nicht so schlecht, dass es das Internet gibt. Wenn man sich vorstellt, diese Leute würden sonst täglich mehrfach an der Haustür klingeln. Und wie könnte dann ein Spamfilter aussehen? Wie groß und breitschultrig müsste der sein? Und wer installiert einem den? Die ganze Welt, unser ganzes Leben sähe völlig anders aus. Verglichen damit waren die Veränderungen durchs In-ternet ja doch eher ein Klacks.

Da ist es dann doch besser, wenn der arme kleine Satellit im dunklen Weltall mal ein paar sinnlose Gespräche vermitteln muss. Letztendlich prallt das an dem doch auch nur alles irgendwie ab.

# Über die Gefahren moderner Technologien: Computerspiele

Immer mal wieder wird, aus zumeist tragischem Anlass, über die Gefahren von Computerspielen diskutiert. Der Einfluss dieser Spiele auf die Psyche und den Realitätssinn der Spieler ist es dann, der von den hoch qualifizierten Experten analysiert wird. Und praktisch immer kommen zumindest die richtigen Experten, also erfahrene Spieler und Hersteller, zu dem Ergebnis: Die Spiele selbst sind nicht wirklich gefährlich. Es sind nur ein paar verwirrte Spinner, die irgendwann nicht mehr zwischen Spiel und Realität unterscheiden können. Bekloppte halt.

Ich bin mir da nicht sicher.

Eins meiner ersten Computerspiele bzw. das erste, was es überhaupt gab, war damals noch ein Videospiel und hieß Teletennis. Zwei weiße Stäbe auf jeder Seite des Bildschirms und ein weißer Punkt, der immer von einer Seite zur anderen geschlagen werden musste. Ping-Ping. Ping-Ping. Nach jedem Ballwechsel fuhr man mit seinem weißen Stab wieder herunter, um den ankommenden Ball dann, in der Aufwärtsbewegung, möglichst weit oben mit dem Stab zu treffen, dann bekam er fast so etwas wie Schnitt, einen gewissen Drall. Stupide, aber fesselnd, wie so manches im Leben.

Jens Kohlmeier hatte das Spiel, und jeden Tag nach der Schule haben wir stundenlang davor gesessen. Ping-Ping, Ping-Ping … Ich dachte immer, das hat mir nicht geschadet, wieso auch. Bis ich mich vor einiger Zeit fragte, warum ich eigentlich später diese Punkphase hatte, mit ständig total Pogotanzen und Köpfe aneinanderschlagen.

Mein nächstes Spiel war dann Tetris, wo man so runterfallende Steinformen drehen musste, bis sie genau in Zwischenräume passen. Das berühmteste Computer- und Gameboyspiel überhaupt. Kurz drauf tauchten auf einmal ständig Leute auf, die Steine von Autobahnbrücken auf Autos geworfen haben. Zufall? Auch ich selbst stand zu der Zeit oft auf Autobahnbrücken und habe überlegt, wie müsste ein Stein jetzt aussehen, damit er direkt zwischen die Autos passt ...

Oder Pacman, wo man sich einfach durch irgendwelche Labyrinthe frisst. Es ist nicht von der Hand zu weisen, dass mit meiner wesentlichen Pacman-Phase auch eine größere Gewichtszunahme einherging.

Später kamen dann komplexere Spiele, wo man ganze Zivilisationen aufbauen musste. Diese Spiele drangen noch massiver in mein tägliches Leben ein. So konnte es passieren, dass ich, nachdem ich wieder eine ganze Nacht durchgearbeitet hatte, am Frühstückstisch wegnickte, um dann plötzlich aufzuschrecken und zu schreien: «Über die Berge, ich muss Carthago über die Berge angreifen!» In solchen Situationen ist es gut, wenn man kompetente Hilfe von außen bekommt. Kompetente Hilfe von ihr, die dann einfach wortlos vom Frühstückstisch aufsteht, zum Computer geht, das Spiel Civilization löscht und sich souverän lächelnd wieder setzt: «Carthago ist vernichtet. Ich hab das für dich erledigt.»

Eine große Gefahr von Computerspielen zeigt sich bereits in dem, was sie einem über die eigene Psyche verraten. Das können allerdings auch Brettspiele. Aus meiner Zeit in der kirchlichen Friedensbewegung sind mir vor allem noch die erbarmungslosen, blutigen nächtlichen Risiko-Schlachten mit anderen friedensbewegten Freunden in Erinnerung. Doch nicht nur Kriegs- und Eroberungsspiele verhelfen einem zur Selbsterkenntnis. Nehmen wir zum Beispiel mal die Fußballmanagerspiele. Gedacht sind sie ja wohl, damit man Trainer seines Lieblingsvereins wird und den dann zu ungeheuren Erfolgen führt. Ich hingegen habe großen Spaß daran, mir missliebige Vereine zu suchen und diese dann nachhaltig zu ruinieren. Als ich kürzlich in der Rolle von Uli Hoeneß alle Leistungsträger des FC Bayern München gefeuert hatte und stattdessen die schlimmsten Blindgänger der Liga für horrende Ablösesummen in den Verein geholt hatte, worauf wir prompt abstiegen, saß ich fast eine halbe Stunde kichernd vorm Computer. Manchmal ist es auch gar nicht so schlimm, wenn man bei diesen Spielen zumindest kurzzeitig nicht mehr zwischen virtueller und realer Welt unterscheiden kann.

## Die Zeit heilt alle Wunden

Im Warteraum der Notaufnahme des Krankenhauses von Pforzheim in Baden-Württemberg gibt es einen Kaffeeautomaten. Dieser Kaffeeautomat ist die einzige Attraktion dieses Warteraumes der Notaufnahme des Krankenhauses in Pforzheim in Baden-Württemberg.

Werfe 80 Cent in den Automaten und drücke aus der reichhaltigen Auswahl den Knopf für Kaffee weiß. Der Automat ist sofort in heller Aufregung:

«Alarm, Alarm, ein Auftrag, Alarm, Alarm …»

Er zählt das Geld nach.

«Mämämämämä … 80 Cent, jaja, stimmt genau, ganz genau, muss ich los, muss ich los, also los …»

Jetzt kommt der Höhepunkt, aus den Untiefen seines voluminösen Körpers wird ein Becher hochgewürgt … mmh, mmh, mmh – flak.

Der Becher verkantet, hängt quasi waagerecht in der Auffangaufrichtung. Aber zu spät, der Automat ist nicht mehr zu bremsen, kann seine Flüssigkeit nicht mehr halten und entlässt sie freudig erleichtert an die Becheraußenwand.

– Aaaaaaaaaaaahhh …

Versuche, zu retten, was zu retten ist, den Becher mit spitzen Fingern in die Senkrechte zu stupsen, ohne mir zu sehr die Hände zu verbrühen.

Gelingt nur teilweise. Eigentlich gar nicht.

Schaue anklagend zum Kaffeeautomaten. Der aber tut, als ob nix wäre.

Denke: Guck, und mit fast genau dieser überlegenen Technik wollten die Amerikaner kürzlich eigentlich ihren neuen Präsidenten wählen.

**28**

Mit Wahlautomaten. Einfallsreich sind sie ja, die Amerikaner. Sogar Touch-Screens sollten diese Wahlautomaten haben. Aber dann ging's doch nicht, weil die Automaten größtenteils nicht funktionierten. Erstaunlich, dass sie das gestört hat. Und noch erstaunlicher, dass sie das in den meisten Wahlbezirken bis zur Wahl nicht mehr hingekriegt haben.

Sogar bei der Deutschen Bahn AG funktionieren diese Touch-Screen-Automaten. In sechs verschiedenen Sprachen. Die Bahn, die kann das. Aber die USA sind zu blöd dazu. So weit sind wir mittlerweile gekommen. Die Deutsche Bahn AG ist schlauer als die USA. Verrückte Welt. Das is' doch so nicht richtig. Vielleicht sollte man demnächst mal die Deutsche Bahn in den Irak schicken. Solln die das mal versuchen.

Am Kaffeeautomaten des Warteraumes der Notaufnahme des Krankenhauses von Pforzheim in Baden-Württemberg ist eine Servicenummer. Der Mann am anderen Ende der Leitung sagt nur: «Komme sofort!»

Er hat nicht mal gefragt, was kaputt ist oder wo ich bin, einfach nur: «Komme sofort!»

Nicht mal 70 Minuten später ist er da. So ist Baden-Württemberg.

Schnell klärt er mich auf:

– Ach, mit diesem Automaten ist immer irgendwas. Dauernd kaputt. Früher stand der ja im Rathaus, aber weil sich da immer wieder Leute die Hände dran verbrüht haben, haben wir ihn dann direkt in die Notaufnahme gestellt. Spart einen Weg.

Am Ende der Reparatur hängt er ein Schild an den Automaten. «Defekt» steht darauf. Ich schaue ihn fragend an.

– Ha noi, der funktioniert schon. An sich ist der Automat tadellos. Nur wenn er dauernd benutzt wird, dann geht er natürlich kaputt. Deshalb das Schild, dann benutzen ihn weniger, und die Reparatur hält länger.

Verstehe, der Automat funktioniert sozusagen heimlich. Das Geheimnis aller Verwaltung und Organisation. Man erklärt etwas offiziell für kaputt, überlastet oder zerstört, weil es nur so dann in aller Stille heimlich doch irgendwie funktionieren kann.

In den folgenden zwei Stunden darf ich feststellen, dass der Automat nun wirklich perfekt funktioniert. Einerseits schön, weil ich nun wirklich frei wählen kann zwischen Mokka, Cappuccino oder Kaffee weiß.

Andrerseits aber auch enttäuschend, weil ich so bemerken muss, dass, ganz egal, ob ich jetzt Mokka, Cappuccino oder Kaffee weiß drücke, die Plörre, die rauskommt, doch jedes Mal mehr oder weniger exakt die gleiche ist. Schau an, noch eine hübsche Parallele zu den Wahlen. Dann ist der Automat wieder kaputt.

Ich kann den Kaffeeautomaten verstehen. Also, dass der sich ständig überlastet und kaputt fühlt. Geht mir ja nich' anders. Im letzten Jahr war ich auch ständig kaputt, bin am liebsten einfach nur so rumgelegen. Weiß auch nicht, war halt so. Gibt so Jahre. Obwohl, manchmal war ich auch nicht kaputt, aber meistens hab ich mich dann einfach trotzdem hingelegt, weil ich dachte: «Ach, wennde erst mal liegst, kommt das Kaputt-sein schon von ganz alleine.» So 'n Mensch ist eben letztlich auch nur ein Kaffeeautomat.

Überlege, ob ich nochmal den Servicemann anrufen soll. Bemerke allerdings, dass mein verdrehter Fuß, weshalb ich im Grunde hier bin, eigentlich gar nicht mehr wehtut.

«Sehen Sie», sagt die Frau am Schalter der Notaufnahme des Krankenhauses von Pforzheim, als ich mich bei ihr abmelde, weil das mit dem Fuß wohl doch nicht so schlimm war.

Und da hatte sie natürlich auch wieder recht.

# 2
# Was der
# kluge Hausmann
# weiß

## Gartenarbeit

«Der eigene Kräutergarten für zu Hause». So stand es auf dem Schild im Supermarkt.

«Der eigene Kräutergarten für zu Hause» war ein mittelgroßer, mittelhässlicher Porzellantopf mit einem Hauptbeet oben und nochmal 4 Terrassen an den Seiten, also insgesamt 5 verschiedenen Ausgängen, aus denen dann 5 verschiedene Kräuter wachsen sollten. Alles fix und fertig, komplett mit Samen und Blumenerde für 9,99. Nur noch auf die Fensterbank stellen, täglich gießen, und schon hat man seinen eigenen Kräutergarten für zu Hause.

– Oh, das ist aber praktisch, habe ich gedacht.

– Oh, da wird sich die Familie aber freuen, habe ich gedacht.

– Oh, guck mal, ich hab ja noch 10 Euro, habe ich gedacht – und schon wars passiert.

Ein Garten, das war jetzt aber mal wirklich eines der Dinge, die ich aber nun echt eigentlich nie haben wollte. Bin ich jetzt auch in diesem Alter? Diesem Alter, wo man auf einmal, ehe man sich's versieht, lauter Dinge hat, die man doch eigentlich nie haben wollte? Ist das meine Midlife-Krise? Gleich nochmal so was, was ich doch eigentlich nie haben wollte. Obwohl, andererseits, warum nicht? Andere kaufen sich einen Sportwagen oder sprechen junge Frauen an, ich schaffe mir einen Garten an. Die Menschen sind verschieden. Hätt' schlimmer kommen können.

Gut, vielleicht bin ich ein bisschen früh dran mit meiner Midlife-Krise, aber egal, bin ich eben Frühentwickler, und wie heißt es so schön: «Was man hat, das hat man.» Dafür bin ich dann auch zeitig mit dieser Midlife-Krise durch und hab später umso länger was von meinem Altersstarrsinn. Darauf freue ich mich schon. Altersstarrsinn, ich glaube, das liegt mir, das ist mal was, was ich richtig gut kann.

– Oh, das ist aber ein hässlicher Topf!, sagt die Familie, als sie meinen Garten sieht.

– Gott, was haste da denn wieder für 'n Scheiß gekauft, sprudelt es undankbar aus ihr heraus.

Na, die werden schon sehen, wenn wir erst mal unsere eigenen Kräuter haben, aus unserem eigenen Garten, dann werden die schon sehen, wie schön das ist, so ein eigener Garten, werden die schon sehen …

Räume alle Pflanzen und sonstiges Gerümpel von der Fensterbank, um Platz für meinen Garten zu schaffen. Gieße ihn von nun an sehr gewissenhaft zweimal täglich, so wie es die heilige Gebrauchsanweisung des Kräutergartens befiehlt. Bald werden die sehen.

Nichts passiert.

– Na, wird wohl nichts, dein Scheißgarten, was, bescheidmeiert die Familie sich munter beömmelnd ab der zweiten Woche. Ignoranten. Fürs Gärtnern braucht man Geduld, weiß doch jeder und steht außerdem auch in der Gebrauchsanweisung. Lasse mich nicht von diesem heidnischen Geschwätz irritieren und begieße weiter tapfer zweimal täglich meine Midlife-Krise.

– Das ist wegen den Samen, sagt die Gartenfachkraft vom Blumenladen einen Monat später. «Das sind Industriesamen, Billigware aus Polen. Das taugt nichts. Für so was brauchen Sie Profisamen. Sind aber nicht billig.»

Greife meine Rücklagen an und erstehe Profisamen. Säe neu aus. Nichts passiert.

– Das ist wegen der Erde!, sagt der Gartenfachmann aus dem Baumarkt. «Das ist Billigerde aus Bulgarien. Die taugt nichts. Für so was brauchen Sie Profiblumenerde. Ist aber nicht billig.

Picke ca. sieben Stunden lang die Profisamen wieder aus der Billigerde raus. Ersetze den bulgarischen Scheiß durch Profiblumenerde und säe nochmal aus. Packe dann die Billigerde in ein Päckchen und schicke sie zurück nach Bulgarien. Können die mal sehen, was die da für eine Misterde exportieren. Nichts passiert.

– Das ist wegen dem Licht, sagt der Gartenguru aus dem Pflanzengroßhandel. «Berliner Licht, also Berliner Wetter ist zu unbeständig. Berliner Wetter ist sozusagen Billigwetter aus Osteuropa. Das taugt nichts. Für so was brauchen Sie Profiwetter, sprich: Profilicht. Ist aber nicht billig.»

Löse unsere Altersvorsorge auf, gehe in den Elektromarkt und kaufe Profiwetter, sprich: mehrere Heiz- und Profilichtstrahler. Besorge dann noch im Baumarkt massenweise Jalousien, um sämtliche Fenster in der Wohnung zuzuhängen, damit nichts mehr von diesem verdammten Berliner Billigwetter an meinen Garten kommen kann. Nichts passiert.

– Das ist wegen dem Wasser, sagt der Gartenpapst aus dem Internet. Berliner Leitungswasser ist zu sauber, da fehlen die Nährstoffe. Für Pflanzen ist das quasi Billigwasser aus Spandau. Für so was brauchen Sie richtiges dreckiges, nährstoffhaltiges Profiwasser.»

Nehme einen Kredit auf, löse einige Dielen im Berliner Zimmer und installiere dort meine eigene, private Sickergrube für dreckiges, abgestandenes, brackiges, stinkendes Profiblumenwasser. Nichts passiert.

– Das ist wegen dir, du Arschloch, klugscheißert die entnervte Familie, während sie in der stinkenden, abgedunkelten Wohnung sitzt.

«Du bist quasi Billiggärtnerware aus Niedersachsen. Das taugt nichts. Für so was braucht man einen Profigärtner aus Andalusien oder so ...»

Denke: «Das wird nicht billig.» Rufe in Spanien an. Kriege gesagt, die brauchen ihre Gärtner selbst. Gebe auf. Nehme meinen Midlife-Krisen-Topf und stelle ihn neben die Mülltonnen im Hof. Vielleicht sollte ich meine Midlife-Krise nochmal anders feiern. Doch ein Sportwagen? Oder was, was eher meinem Wesen und meinen verbliebenen finanziellen Möglichkeiten entspricht? Sportpuschen zum Beispiel. Ich glaube, ich sollte mir Sportpuschen kaufen.

**Epilog**

Knapp zwei Wochen später sind wir bei der Nachbarin zum Frühstück eingeladen. Es gibt sehr leckere Rühreier mit ganz frischen Kräutern. Stolz zeigt sie auf den strotzenden Topf auf dem Fensterbrett: «Und ihr könnt euch nicht vorstellen, wo ich den gefunden habe.» Doch, das kann ich.

# Die IKEA-Revolution

Seit Kurzem muss ich an meinem Kiosk immer etwas länger warten. Das liegt daran, dass die Jugendlichen vor mir den armen Kioskbesitzer immer ewig nach einer Zigarettenpackung mit dem richtigen Aufdruck suchen lassen. Nach meinen bisherigen Recherchen sind der Spruch mit den Spermatozoen und das schlichte «Rauchen kann tödlich sein» ziemlich cool. Wer allerdings mit einer Schachtel mit Gefäßkrankheiten, Leberschäden oder Nierenerkrankungen rumläuft, kann seine Jugend gleich knicken. Der ist eine Flusche, ein Loser, ein In-den-Eimer-Kacker oder auch ein Superstar-Bewerber. Einer der Jugendlichen liest den Aufdruck und macht sich lustig. «Die EG-Gesundheitsminister: Mann ey, was soll ich denn vonner Warnung halten, von Leuten, die nicht mal wissen, dass die EG jetzt EU heißt. Warum nicht gleich: Der Reichskanzler: Rauchen schadet der Volksgesundheit.»

Nach ihnen bin ich dran und ordere drei Schachteln Camel Filter. Es entsteht ein recht eigenwilliger Dialog, den ich vielleicht so, wie er ist, für den nächsten Ingeborg-Bachmann-Wettbewerb einreichen werde:

– Zwei Schachteln Camel Filter, bitte.

– Oh, ich hab aber nur noch Gefäßkrankheiten.

– Gibt's keinen schmerzhaften Tod mehr?

– Is' aus. Vielleicht sind im Lager noch Ratschläge von Apothekern.

– Ich möcht aber lieber schmerzhaften Tod.

– Schmerzhafter Tod kommt erst wieder übermorgen. Nimm 'ne 10er, da gibt's noch erheblichen Schaden für die Menschen in Ihrer Umgebung.

– Dann kann ich auch gleich Gefäßkrankheiten nehmen.

– Na ja, viele mögen ja, dass die Haut schneller altert.

– Die Jugendlichen vielleicht, mir is' das nix.

– Komm, ich schneid dir einen schmerzhaften Tod aus 'ner andren Schachtel raus, kannst ihn dann einfach vor deine Gefäßkrankheiten schieben. Aber vergiss es nicht. Diese Aufdrucke können lästig sein, aber sie liefern auch Perspektiven. Ich habe mittlerweile überall in meiner Wohnung kleine Zettel verteilt:

Vor dem Sofa. «Der Horst-Arbeitsminister: Das Nur-kurz-mal-aufs-Sofa-Legen kann zu plötzlichem Einschlafen führen.»

Am Kühlschrank. «Der Ernährungs- und Versorgungshorst: Der Blick in den Kühlschrank kann zu plötzlichem Hunger und Depression führen.»

Überm Schreibtisch. «Der Horst-Organisationsminister: Das ständige Belegen und Stapeln von Sachen auf dem Schreibtisch kann zu einem Arbeits- und Reformstau führen.»

Neben der Toilette. «Der Informationshorst: Das stundenlange, ohne den eigentlichen Grund Noch-weiter-auf-der-Toilette-Verharren und Zeitunglesen kann zwar, wenn man nur lange genug sitzt, irgendwann einen Toilettengang sparen, führt jedoch nach einiger Zeit dazu, dass die Beine einschlafen, man also, selbst wenn man wollte, gar nicht mehr aufstehen könnte, was, spätestens wenn die Zeitung ausgelesen ist, zu einem wehrlosen Vor-sich-hin-Starren und gar zu einem wachkomaähnlichen Zustand führen kann, woraus man zwar vielleicht irgendwann von freundlichen Rettern befreit wird, was aber trotzdem immer etwas unangenehm ist, da ein wehrlos vor sich hin starrender Mensch auf der Toilette auch für die Retter nie ein sehr schöner Anblick ist.»

Dieser Zettel vor der Toilette hat allerdings den Nachteil, dass, bis ich den ganz durchgelesen habe, meine Beine meistens schon eingeschlafen sind.

Andere Zettel funktionieren sehr viel besser. So zum Beispiel der auf dem IKEA-Katalog. «Der Inneneinrichtungshorst: Der Kauf von Scheiß gefährdet die Abstellflächen in deiner Wohnung.»

IKEA hat wirklich mein Kaufverhalten und das meiner Umgebung revolutioniert. Während man sich bei anderen Einkäufen vorher genau einprägt, was man alles braucht und keinesfalls vergessen darf, geht es bei IKEA immer darum, sich vorher genau einzuhämmern, was man auf keinen Fall mehr nochmal braucht und unter keinen Umständen auch nur versehentlich schon wieder kaufen sollte.

Bei meinem Antrittsbesuch im neuen Innenstadt-IKEA sah ich bei meiner Ankunft auf dem Parkplatz ein Pärchen, das sich feierlich an den Händen nahm, tief in die Augen schaute und gemeinsam rhythmisch sprach:

«Wir gehen jetzt zu IKEA, und wir werden ein Schlafsofa kaufen. Nur ein Schlafsofa. Wir kaufen keine Teelichter, keine Kerzen, keine Pappschachteln, keine Blumentöpfe, keine Aufbewahrungswunder, keine Bettwäsche und vor allem keine Gläser! Wir haben genug IKEA-Gläser noch originalverpackt zu Hause, keine Gläser, das ist unser Versprechen! Wir schaffen das, hurra!!!»

Einige Stunden später auf dem Nachhauseweg sehe ich sie schluchzend vor ihrem Auto sitzen. Ihre beiden Einkaufswagen quellen über von Kerzen, Pappschachteln und Gläserkartons. Von einem Schlafsofa ist nichts zu sehen. Ich setze mich zu ihnen und erzähle von meiner gut funktionierenden Zettelorganisation. Der Mann schaut auf meinen Einkaufswagen und die Gläserkartons darin.

– Na ja, ich brauchte aber auch Gläser. Echt. Dringend. Ich

hab schon seit Tagen nur noch aus der hohlen Hand getrunken.

Sie scheinen's zu schlucken. Voll Hochachtung und Bewunderung schauen sie zu mir auf. Ein gutes Gefühl. Ich stecke mir eine Zigarette an. Der Blick der jungen Frau fällt auf die Schachtel, und ihr gerade noch ehrfurchtsvoller Gesichtsausdruck bekommt höchst spöttische Züge.

– Gefäßkrankheiten, ja? Guck mal, was 'n Loser. Lass uns verschwinden. Der hat doch auch keine Gläser gebraucht.

Verächtlich lachend steigen sie in ihr Auto.

Da stand ich nun und wünschte mir einen schmerzhaften Tod.

# Was die Kunst uns über
# das Leben lehrt

Es war einer dieser Tage, wo man schon am Morgen denkt: Also, wenn eins nun heute wirklich auf keinen Fall passieren wird, dann ist es das, dass ich heute noch irgendwas fürs Leben lerne. Nee, beim besten Willen nicht. Alles Mögliche kann heute noch passieren. Alles Mögliche, dass ich zwei Euro auf der Straße finde, kein Problem, kann passieren; dass mir die Liebe meines Lebens begegnet und ich's nicht merke, ohne Weiteres denkbar; dass ich beim Duschen ausrutsche, mir ganz doll wehtue, so doll, dass ich ab dann riesige Angst vorm Duschen habe, mich deshalb nie wieder duschen werde, immer schlimmer stinke und dadurch früher oder später alle meine Sozialkontakte verliere, vereinsame und daran stinkend sterbe, alles ohne Weiteres möglich; aber dass ich heute noch was fürs Leben lerne, nee, das nu beim besten Willen nicht, das wird heute also nun garantiert nicht passieren. Und wenn doch, dann werd ich aber sagen: Mann, Mann, Mann, das hätt ich aber nu nicht gedacht. Und ich werde sehr überzeugt sein, wenn ich das sage.

Ich war an diesem Tag zu einer Ausstellungseröffnung am Rande Berlins eingeladen. Und weil ich nichts zu tun hatte, willigte ich ein. Und weil ich nichts zu essen hatte, ging ich auch hin. Was sollte schon passieren. Dass ich was kaufe, was ich mir nicht leisten kann? Kaum. Da sind Flohmärkte viel gefährlicher für mich.

Auf der Vernissage dann brauchte ich genau fünf Minuten, um mich so deplatziert zu fühlen wie ein Pantomime im Blindenheim. Mein erster Gedanke war: «Sag mal, haste nicht doch noch irgendwas anderes zu tun?» Hatte ich aber nicht.

An den Autos der anderen Besucher erkannte ich schnell, dass hier genau die Leute waren, die auch so jemanden wie mich durchfüttern können müssten. Diese Leute waren verdammt wohlhabend. Ein Beispiel: Obwohl es unheimlich viel zu trinken gab und alles umsonst war, war kein einziger der Besucher betrunken, also außer mir. Freibier, und kein Einziger ist betrunken, das ist Reichtum. Wenn auch ziemlich dekadent. Denn man sieht daran, dass Geld eben nicht glücklich macht, wenn man die Magie des Augenblicks einfach nicht mehr genießen kann, die besonderen Momente des Lebens, wie Freibier eben. Tja, die reichen Leute haben's auch nicht immer nur schön.

Ausgestellt waren neben einigen Bildern auch Möbelstücke, die im Prinzip alle aussahen wie von IKEA, nur dass sie nicht so lustige Namen hatten. Die lustigen Namen musste man schon selbst mitbringen. Ich habe keinen lustigen Namen. Deshalb hab ich auch kaum mehr etwas von IKEA. In einem Bett schlafen, das lustiger heißt als ich selbst, nee, das wär mir nix. Früher, als ich noch mehr Sachen von IKEA hatte, habe ich immer alle Namen der Möbelstücke mit auf den Briefkasten geschrieben. Irgendwann kam der Moment, wo mein Sessel mehr Post bekam als ich. Das war sehr deprimierend. Später gewann der Sessel bei einer Millionenchance bei Faber offensichtlich ein kleines Vermögen. Zumindest hat er sich über Nacht aus dem Staub gemacht und lebt heute vermutlich in Saus und Braus irgendwo in Südamerika. Seitdem rede ich meine Möbelstücke nicht mehr mit Namen an.

Besonders faszinierte mich auf der Ausstellung ein kleiner, sehr niedriger Tisch, der knapp 12 000 Euro oder so kosten sollte. So stand es zumindest wörtlich am Tisch: «Preis: knapp

12000 Euro oder so». Insgesamt ähnelte der Tisch sehr meinem Küchentisch. Den habe ich vor sieben Jahren für eine Flasche Sekt gekauft und dann die Beine abgesägt, weil er zu hoch fürs Küchensofa war. Was macht man mit einem Tisch für 12000 Euro oder so? An die Wand hängen? In den Tresor stellen? Von so einem Tisch kann man doch nicht essen. Das wär doch, als würde man die Mona Lisa entrahmen und als Unterlegdeckchen für die Blumenvase benutzen.

Mitte der 70er Jahre haben meine Eltern ein superteures Silberbesteck gekauft. Für besonders festliche Feste. Allerdings waren die Feste seitdem nie festlich genug, um es auch einmal zu benutzen. Weder meine Konfirmation noch die Silberhochzeit, noch Geburtstage oder Weihnachten. Wichtige Tage, klar, aber fürs Silberbesteck reichte es eben doch nicht ganz. Wahrscheinlich kommt es erst zum Einsatz, wenn mal zufällig der Herr Bundeskanzler vor der Tür steht und bei meinen Eltern einen Happen essen will. Mein Vater spricht deshalb schon von einem Fehlkauf, meine Mutter jedoch meint, sie geht seither, wenn's klingelt, viel gelassener zur Tür.

Später konnte ich mit dem Künstler über den 12000-Euro-Tisch reden. Dass er der Künstler war, erkannte ich übrigens daran, dass er der Erste war, der mich nicht fragte, ob ich der Künstler sei.

Er bezeichnete den Tisch als preiswert und rechtfertigte dies damit, dass es ein niedriger Hocktisch sei, an dem man nur hocken könne. Man brauchte also keine Stühle zu kaufen, wodurch der Tisch einem eine Menge Geld spare. Ich sagte, ich habe aber schon ein Sofa. Das ist eh schon ziemlich flach und wird jedes Jahr noch etwas flacher.

Der Künstler lachte, weil er auch so ein Sofa hatte, eigentlich wäre der Tisch auch als Spezialanfertigung für seine Küche gedacht gewesen, aber dann, immerhin steckten in dem Tisch über 200 Arbeitsstunden, aber kein einziger Nagel und kein einziger Tropfen Leim. Ich tat so, als würde ich ihn verstehn, und sagte sehr geschickt: «Na dann.»

Er verstand meine Antwort offensichtlich genau so, wie sie gemeint war. Lächelnd antwortete er auf meine eigentlich gar nicht gestellte Frage:

«Okay, ich hab auch überlegt, ob ich den Tisch nicht für einen niedrigeren Preis hätte anbieten sollen, hab aber dann doch davon Abstand genommen, weil: dann wäre er ja nicht so viel wert.»

Und ich sagte: «Mann, Mann, Mann.»

# Berliner Idyll 1

Auf Wohnungen aufpassen, wenn der Inhaber verreist ist, mache ich immer gern. Erst recht, wenn in der Wohnung ein riesiger Computer mit einer Unmenge mir völlig unbekannter Spiele steht. Da bleib ich dann auch schon mal gern eine ganze Nacht und passe auf den Computer auf. Sogar wenn die Wohnung im Prenzlauer Berg ist. Walter hatte mich jedoch gewarnt: «Die Wohnung ist eigentlich gar nicht schlecht, wenn da nicht die Kneipe unten im Haus wäre, sie wird ausschließlich von den Hausbewohnern besucht. Und das rund um die Uhr. Nachts hör ich immer dieselben Geräusche von Bewohnern, die eine kurze Kneipenpause machen: Bamm-Bamm-Bamm-Bamm-Uargghhh … Bamm-Bamm-Bamm-Bamm …» Aber was sollte mich das schon stören, ich war schließlich in der Wohnung, um zu spielen.

Ich saß also gerade des Nachts am Computer, als es plötzlich an die Haustür wummerte:

– Helma! Helma! Bitte, Helma, lass mich rein, ich muss nur mal schnell pinkeln, dann geh ich auch gleich wieder!

Nur wenige Menschen nennen mich Helma. Genau genommen keiner.

– Es tut mir leid, aber hier is' keine Helma.

– Mensch, Helma! Nu veräppel mich nich'. Ich erkenn doch deine Stimme.

Hm. Wer immer diese Helma auch sein mochte: Sie hatte was.

– Komm, Helma, dauert nich' lange, bestimmt nich', ehrlich wahr, wenn du mich nicht reinlässt, pinkel ich dir durch den Briefschlitz.

Ich überlegte, ob ich es interessant finden würde, das von der Wohnung aus zu beobachten, als plötzlich das Telefon klingelte. Ich stellte noch schnell einen Wassereimer unter den Briefschlitz und ging dann ran.

– Hallo, hier ist Helma aus dem Stockwerk unter Ihnen. Ich hör gerade, wie mein Hubert an Ihre Tür wummert. Lassen Sie ihn nicht rein und sagen Sie ihm auch nicht, dass ich angerufen habe.

Natürlich würde ich ihn nicht reinlassen. Wenn Helmas Stimme schon wie meine klang, wer sagte mir dann, dass Helma nicht auch aussah wie ich. Irgendwie wollte ich nicht, dass Hubert mich dauerhaft für Helma hielt.

– Helma, jetzt lass mich schon rein, in der Kneipe warten doch alle schon wieder auf mich …

– Ich lass dich nich' rein. Überhaupt, wieso gehst du eigentlich nicht in der Kneipe aufs Klo?

– Mensch, Helma! Du weißt genau, dass ich lieber zu Hause auf Toilette … Außerdem ist es vom Tresen aus praktisch gleich weit weg, Helmaaa!

Ich ging zurück zum Telefon.

– Helma, was soll ich machen?

– Nichts. Der Hubert macht das sowieso nich' mehr lange, der schläft bald ganz friedlich vor Ihrer Haustür ein. Lassen Sie den man da liegen, ich hol den dann da morgen früh ab.

Sie legte auf. Ich beschloss, nichts mehr zu tun, und ging an den Computer zurück. Schließlich war ich nur zu Besuch, und da passt man sich wohl am besten den Gegebenheiten an.

Hubert rief noch zwei- bis dreimal: Helma!!! Ma maö maää!!! Dann hörte ich nur noch ein Plätschern im Wassereimer vor dem Briefschlitz, danach war Ruhe. Man kann über den Prenzlauer Berg sagen, was man will. Aber ganz gleich, wie modern und hip er auch geworden ist, hier und da lassen sich doch immer noch kleine Inseln der Tradition finden. Kleine Stückchen Berlin, wo die Welt noch in Ordnung ist.

**44**

# Ich muss mir nichts mehr beweisen

Es ist noch gar nicht so lange her, da war es mir praktisch unmöglich, wenn ich beim Spazierengehen, zum Beispiel im Park, an einer Gruppe Fußball spielender Kinder vorbeikam, und ein Querschläger, also ein verunglückter Ball auf dem Gehweg, direkt vor meinen Füßen landete, diesen dann einfach nur so wortlos wieder zurückzukicken. Nein. Ich musste erst mal etwas schreien wie: Hola!!! Hab ich! Um dann den Ball aufwendig mit dem Außenspann zu stoppen, ihn elegant zu lupfen, ihn 5-, 6-, ach, besser 20-mal auf meinen Fußspitzen tanzen zu lassen, auch mal hoch zum Kopf, 1, 2, 3, 4, und wieder Knie, Spitze, Hacke, trallala, bis ich ihn dann nach angemessener Zeit mit einem angedeuteten Fallrückzieher wieder präzise aufs Spielfeld zurückbefördert habe. Das zumindest war mein Plan. Meistens hat das mit diesem Ball-tanzen-Lassen nicht so geklappt. Also eigentlich gar nicht. Im Regelfall ist mir der Ball schon beim ersten Lupfen versprungen. Was mich aber keinesfalls dazu veranlasst hat, das Projekt abzubrechen. Im Gegenteil. Dann begann ein relativ würdeloses hektisches Hin-und-her-Gespringe, Gelaufe, Getrete und verzweifeltes Versuchen, wieder Kontrolle über den Ball zu kriegen, der allerdings seinerseits völlig autark handelte. Untermalt nur noch von meinen Ausrufen wie: «Ah, nasser Ball», oder: «Oh, da is' aber auch zu wenig Luft drin!», oder auch: «Mensch, da is' aber auch 'ne ganz schöne Unwucht im Ball!» Natürlich gab es nur einen, der hier nach kurzer Zeit klitschnass war, zu wenig Luft und außerdem auch noch eine ganz schöne Unwucht hatte. Und das war ich, aber ich hab es mir nicht anmerken lassen.

Dieses bizarre Schauspiel hat sich dann oft ziemlich lange

hingezogen. Meist haben die genervt wartenden Kinder irgendwann gegen Einbruch der Dunkelheit ihr Fußballspiel abgebrochen, mir nur noch eine Adresse zugesteckt, wohin ich den Ball bringen sollte, wenn ich mit dem Zurückspielen fertig bin, und sind nach Hause, Playstation spielen.

Ich befürchte schon, dass die gegenwärtige Nachwuchsmisere im deutschen Fußball nicht zuletzt auch zu einem Gutteil auf mein häufiges Ballzurückspielen in jener Zeit zurückzuführen ist. Tatsächlich kommen die wenigen verbliebenen Nachwuchshoffnungen ja auch komplett aus Orten, wo ich noch nie in meinem Leben spazieren gegangen bin.

Heute muss ich so was nicht mehr. Heute habe ich endlich die nötige Reife, so einen Ball einfach an mir vorbeikullern zu lassen, die angehenden Berufsfußballer mit einem Satz zu beglücken wie: «Na, das war ja wohl nix! Sieh mal lieber zu, dass de 'nen anständigen Beruf lernst!», und sie dann selber laufen zu lassen. Eines Tages werden sie mir dafür dankbar sein.

Ich muss mir nichts mehr beweisen. Riesigen Abwaschbergen in der Küche, die mich früher immer beunruhigt haben, in denen ich aber auch eine gewisse Herausforderung sah, begegne ich heute mit einer gewissen Gelassenheit. Ich weiß, dass ich das alles abwaschen könnte, wenn ich wirklich wollte, dann könnt ich das. Ich hab schon oft gezeigt, dass ich so was abwaschen kann. Teller, Tassen, Töpfe. Ich hab's allen gezeigt. Ich muss mir da nix mehr beweisen.

Oder auch nächtens in Kneipen. Wenn mich früher ein Wirt nach vielen Stunden und Bieren, nachdem ich einige Zeit eigentlich nur noch sinnlos vor mich hin gebrabbelt habe:

– Noaa, is' doch alles, boahr, aber ich sag, na ja, aber will ja keiner hören, obwohl, aber is' denn ja, weiß man auch, aber trotzdem, ne, kennst das auch?

irgendwann liebevoll aufforderte:

– Komm, Horst, geh na Hause. Is' genug, bist für heute fertig, war 'n langer Satz. Geh na Hause.

Dann war meine Reaktion:

– Was? Aaaaer no lange nich. Sollst ma sehn, was ich noch. Paß ma auf.

– Ah komm, Horst, is' doch Quatsch. Geh na Haus, hast genug!

– Gar nich! Nee! Ich kann noch ganz lange sitzen. Sollst ma sehn, ich schaff das. Ich werd's euch allen zeigen.

– Horst, wir sind nur noch zu zweit.

– Ah was?

Heute passiert mir so was nicht mehr. Heut reicht eine Aufforderung:

– Horst, is' genug. Bist fertig für heute!

Und ich schlafe ohne Widerworte direkt am Tresen friedlich ein. Ich muss mich nicht mehr quälen. Ich habe heute die nötige Reife, um zu wissen, irgendwer wird sich schon kümmern.

Selbst bei meiner Herkunft will ich nichts mehr idealisieren. Wenn ich früher jemandem gestanden habe, dass ich in Niedersachsen aufgewachsen bin, habe ich mich immer bemüht, zu erläutern, wie schön Niedersachsen nämlich auch ist. Das denken ja viele nicht. Die Schönheit Niedersachsens zu beschreiben, das is' wirklich ein gewaltiges, hochkompliziertes Projekt. Die Schönheit anderer Gegenden, wo alle immer sagen: Da is' schön, also wo man die Schönheit auch sofort sieht, an der Landschaft oder so, diese Schönheit zu beschreiben, das is' einfach. Aber Niedersachsen, ah, da is' ja nix, denken viele. Und stimmt ja auch. Zu sehen gibt's nix. Aber Niedersachsen, das is' eher so 'ne gefühlte Schönheit. So immanent. Verstehen viele nicht. Was hab ich nicht alles versucht, um anderen die Schönheit Niedersachsens begreiflich zu machen. Erfolglos. Irgendwann dachte ich, okay, geht halt nicht, man kann es nicht beschreiben. Bis mir Meirings Wilhelm zur Hilfe kam. Wilhelm Meiring war vierter oder fünfter Filialleiter bei der Kreissparkasse Diepholz. Nach der Wende bekam er plötzlich die Gelegenheit, in eine weitaus höhere Position zu einer Sparkasse im weiten, flachen Mecklenburg-Vorpommern zu wechseln. Ein enormer Karrieresprung. Letztes Jahr aber ist er plötzlich nach Diepholz zurückgekommen, zurück in eine deutlich niedrigere Position, bei erheblichen Gehaltseinbußen. Und trotzdem, sagte er, musste er einfach zurückkommen, weil: Er hat diese Hektik in Mecklenburg-Vorpommern einfach nicht mehr ausgehalten.

Das beschreibt Niedersachsen eigentlich ganz gut. Diese Schönheit der völligen Ereignislosigkeit. Das kann man eben nicht begreifen, wenn man nur mal so durch Niedersachsen durchfährt. Nee, da muss man sich auch einfach mal die Zeit nehmen und so 10, 20 Jahre da leben. Aber dazu sind ja nu die wenigsten bereit.

Meirings Wilhelm muss sich auch nichts mehr beweisen. Wie ich. Das ist ein schönes Gefühl. Aber ich habe manchmal eben noch Rückfälle. Und das ist schlimm. Wie kürzlich, als ich auf die schlichte Frage, ob ich mal eben für zwei Stunden alleine auf fünf dreijährige Kinder aufpassen könnte, als ich da sagte:

– Na klar kann ich das. Logisch. Überhaupt kein Problem für mich. Das wird ein Spaß. Kinderspiel sozusagen …

Das war dumm. Und eigentlich wollte ich auch diese Geschichte erzählen. Wie ich zwei Stunden auf fünf dreijährige Kinder aufgepasst habe. Wobei aufgepasst in dem Sinne trifft es nicht genau, und präzise formuliert müsste ich auch eigentlich sagen, wie ich eine Stunde auf fünf Dreijährige aufgepasst habe und dann mehrere Stunden mit vier dreijährigen Kindern ein dreijähriges Kind gesucht habe. Aber das ist wirklich eine lange Geschichte. Und tatsächlich ist ja auch praktisch schon alles gesagt. Also fast.

Dabei war ich es klug angegangen. Gleich zu Beginn hatte ich vorgeschlagen:

– Wir machen das ganz toll. Wir machen was ganz Spannendes. Ihr spielt Höhlenforscher. Hier ist eine Taschenlampe. Die Höhle ist der Schrank, da drin könnt ihr jetzt mal zwei Stunden so richtig was wegforschen.

Ein brillanter Plan. Der auch tadellos funktioniert hat. Fast eine volle Minute lang. Dann haben die Kinder den Schrank quasi gesprengt. Die Taschenlampe war kaputt. Die Kinder beschlossen, wir müssen sofort ins Kaufhaus, eine neue Lampe besorgen. Ich dachte: Warum nicht? Was soll schon passieren? Und dann passierte es. Ca. fünf Stunden lang, quasi ununterbrochen: passierte es. Eine schlimme, quasi traumatische Erfahrung, bei der es vielleicht gar nicht so schlecht ist, wenn ich erst noch ein wenig Abstand gewinne, bevor ich darüber schreibe.

Nur eines war noch schön. Der Fahrer vom Rettungswagen nämlich, ein höflicher, adretter, netter junger Mann. Der erzählte dann noch, als wir beim Kindernotdienst zusammen warteten, wie sehr er seinen Beruf liebt und wie glücklich und froh er ist, Rettungssanitäter geworden zu sein. Wenn man bedenkt, dass er als Junge noch den schwachsinnigen Wunsch hatte, unbedingt Fußballprofi zu werden. Und dieses vermutlich ohnehin eigentlich aussichtslose Unterfangen eigentlich nur abgebrochen hat, weil irgendein bekloppter Passant im Park ständig so lange gebraucht hat, den Ball zurückzuspielen, bis ihm irgendwann die Lust am Fußball vergangen sei. Das hat mich dann doch gefreut.

# Toter Briefkasten

In unserem Haus gibt es einen toten Briefkasten. Also einen Briefkasten, der niemandem gehört und der praktisch immer offen ist. Das ist super. So ein toter Briefkasten eröffnet völlig neue Möglichkeiten. Während man früher bei den Zeitungswerbern auf der Straße für eine gefälschte Unterschrift gerade mal eine einzige Zeitung umsonst bekam, kann man nun einen falschen Namen, aber die richtige Adresse angeben, klebt später den falschen Namen an den toten Briefkasten, und mit etwas Glück bekommt man dann auch noch die Zeitung zwei Wochen lang kostenlos zugestellt, ohne die lästige Abokündigungshampelei. Das ist schön. Man kann sich all die Kataloge, die man sich unter richtigem Namen nie zu bestellen traute, zuschicken lassen. Und später kann man sie, natürlich ohne den neutralen Schutzumschlag, mit einem am Computer gefälschten neuen Adressetikett an missliebige Bekannte verschicken. Und wenn sich einer so richtig danebenbenommen hat, lohnt es sich auch schon mal, persönlich vorbeizugehen und den Katalog so geschickt in den Hausbriefkasten zu stecken, dass Titel und Adressetikett für jeden, der vorbeigeht, auch wirklich gut zu lesen sind. Das macht man am besten frühmorgens, denn die Frühaufsteher im Haus sind meistens auch die Leute, die Tratsch am verlässlichsten weitererzählen.

Bei Straßenumfragen oder Gewinnspielen kann man immer wieder andere Identitäten annehmen, sich schöne Berufe ausdenken, über die die Adresse Zugang zu ganz anderen Werbeverteilern bekommt. Seit ich mal behauptet habe, ich sei Zahnarzt, bekomme ich von Zeit zu Zeit Prospekte von irgendwelchen Dentallabors zugesandt. Das ist schon interessant, was es da so alles gibt und was das alles kostet, wobei man da auch oft noch verhandeln kann. Ich hab dann aber doch nie was gekauft. Ab und zu sind auch kleine Poster von eitrigen Zahnhöhlen und so dabei, die kann man sich dann ins Bad hängen. So was hat nicht jeder, und man vergisst nie wieder das Zähneputzen.

Bei den ausgedachten Berufen ist es empfehlenswert, gut verdienende Berufe zu wählen, dann kommen auch ab und zu Einladungen zu irgendwelchen Vernissagen oder Soirees mit umsonst essen und trinken. Meist soll man da dann auch später noch in irgendwas investieren oder spenden, aber muss man nicht. In schwierigen Zeiten kann einen so ein toter Briefkasten schon mal ein paar Tage ernähren.

Ich finde, jedes Haus sollte so einen toten Briefkasten haben, denn wenn einem bei einem Namen der Werbewust doch mal zu viel wird, nimmt man den Namen einfach vom Briefkasten ab und Schluss ist. In Zeiten, wo fast 40 % des gesamten Druckaufkommens in Deutschland Werbung sind, denke ich, sollte es so ein Ventil geben.

## Irgendwer hat den Kuchen
## im Regen stehen lassen

Wenn man so gegen Mittag in der Wohnung sitzt und die letzten Stunden damit verbracht hat, in alten Zeitungen nach einer plötzlich wichtigen Handynummer zu suchen, welche man vor ein paar Wochen ziemlich sicher wahrscheinlich auf eine dieser Zeitungen gekritzelt hat, gleichzeitig alle 20 Minuten von einer hysterischen fremden Katze angefallen wird, die ansonsten wild fauchend durch die Wohnung strolzt und alles markiert, was ihr vor die Beine kommt, und es gleichzeitig an der Haustür Sturm klingelt, weil unten irgendwelche Polizisten stehen, die nur mal mit einem reden wollen, dann hat man auf den Nachmittag eigentlich schon gar nicht mehr richtig Lust.

Doch der Reihe nach. Das Ganze ist jetzt ungefähr zwei Wochen her. Sitze im nicht besonders gut sitzenden dunklen Anzug bei einem Italiener in Schöneberg und habe Sorgen. Um meinen Hals baumelt ein Schild, auf das ich mit Edding geschrieben habe: «Dies ist eigentlich ein beigefarbener Anzug, der auch relativ gut sitzt.» Komme mir ein wenig blöd vor. Bemerke, dass der eigentliche Anfang dieser Geschichte noch weiter zurückliegt.

Vor sechs Wochen. Stelle beim Kuchenbacken fest, dass sich die alten Holzflügelfenster in der Küche durch die ständigen Stürme der letzten Wochen ziemlich verzogen haben. Lassen sich nur noch sehr schwer schließen und öffnen. Beschließe, die Hausverwaltung nicht mit solchem Kinderkram zu nerven, sondern patent zu sein und das Ganze mit einem Hobel und einigen Rollen Tesa Moll selbst zu richten. Bin erstaunlich erfolgreich. Aber leider muss so ein kleines Spiel im Schließ-bereich des Fensters entstanden sein. Der noch heftigere Sturm der folgenden Nacht verfängt sich darin, drückt das Fenster nimmermüd stundenlang hin und her, bis es irgend-wann aus den Angeln knallt und fortan Sturm und Regen ungehinderten vollen Zugang zu meiner Küche gewährt. Am nächsten Morgen finde ich das zertrümmerte Fenster, davor die gänzlich durchnässte und ruinierte Küchenarbeitsfläche und darauf den zermatschten Kuchen, der die halbe Nacht im Regen stand.

Bestelle den Notfallglaser, beschließe, am Nachmittag im Baumarkt eine neue Arbeitsplatte zu besorgen, stecke den völlig durchgeregneten Kuchen in ein Paket und schicke es an meine Exfreundin. Sie kennt «MacArthurs Park». Sie wird die Anspielung verstehen. Dann setze ich jetzt doch ein Schreiben an die Hausverwaltung auf, zum einen wegen der sicher horrenden Rechnung des Glasers, zum anderen auch, weil durch die Wassermassen ein paar unschöne Flecken an der Decke der Nachbarin unter mir entstanden sind.

Dieser Brief nun gerät in die Hände von Sabine Jansen. Einer Zeitarbeitskraft, die zur Abwicklung der vielen Sturmschäden für zwei Wochen von der Hausverwaltung zusätzlich einge-stellt worden ist.

Frau Jansen fand meinen Fall irgendwie lustig, dachte sich: «Klar, ein Idiot, aber schon auch süß», schrieb prompt sehr nett zurück, ich antwortete wieder sehr charmant, und schließlich wickelte sie meinen Fall unbürokratisch und zu für mich sehr glücklichen Konditionen ab. Zum Dank lud ich sie drei Wochen später zum Essen ein und kündigte an, meinen beigen Anzug tragen zu wollen, damit sie mich erkennt.

Am Tag des quasi Blind Dates bemerke ich einen erheblichen

Kaffeefleck auf dem Anzug. Die Schnellreinigung sagt mir: «Kein Problem, ist bis 18 Uhr fertig.» Komme um 18 Uhr in die Schnellreinigung. Schnellreinigungsfrau sagt:

– Is' weg.

– Wie? Weg? Was?

– Der Anzug. Weg. Weiß auch nich.

– Wie? Weg? Was?

– Na, is' weg. Der Anzug. Kann man nix machen.

– Kann man nix machen?

– Nee, kann man nix machen.

– Ach so.

Sie entschuldigt sich und drückt mir einen Stapel Gutscheine in die Hand. Deshalb sitze ich jetzt im schlecht sitzenden dunklen Anzug mit dem Schild um den Hals im Restaurant und komme mir blöd vor. Auch weil Frau Jansen seit zwei Stunden überfällig ist. Womöglich war sie kurz da, hat mich und mein Schild gesehen, irgendwas gedacht wie: Um Gottes willen! und hat sich schnell wieder vom Acker gemacht. Die eleganten Kellner in ihren gut sitzenden weißen Hemden beobachten mich mit einer Mischung aus Mitleid und Häme. Dann erscheint Sylvia Brandt, meine Nachbarin von unten, meine Rettung. Also zumindest, was die Kellner angeht. Springe auf und zerre sie an meinen Tisch.

– Hallo, Sylvia, schön, dass du's doch noch geschafft hast.

– Was?

Ich flüstere:

– Is' 'ne lange Geschichte. Tu einfach so, als wenn de dich nur verspätet hättest, ich lad dich auch ein, es ist wegen der Kellner, bitte!

– Okay, aber ich arbeite hier.

– Ach so.

Schreie in Richtung der Kellner:

– Jaaa, wollte dich ja schon lange mal auf Arbeit besuchen, schön, dass es endlich geklappt hat.

Das Mitleid in den Blicken der Kellner wächst.

Sylvia erzählt mir, dass die Wasserflecken wieder weg sind. Die Hausverwaltung hat sie ausgetrocknet, versiegelt und die Decke neu streichen lassen. Aber nervig wars schon. Sie fragt mich, ob ich zum Dank ihre Katze füttern kann. Sie fliegt für zwei Monate nach Australien.

Für alle Fälle gibt sie mir schon mal ihre Handynummer. Falls mal was is'. Da ich nichts anderes zum Schreiben habe, kritzel ich sie auf den Rand der Zeitung aus meiner Mantelinnentasche.

Als ich später zahlen will, stelle ich fest, dass ich vergessen habe, mein Portemonnaie in den dunklen Anzug zu stecken. Biete dem Kellner stattdessen den Stapel Reinigungsgutscheine aus der Manteltasche an. Er lächelt gequält, steckt sie ein und sagt: «Is' schon okay.» Mittlerweile laufen seine Augen fast vor Mitleid über. Wir wissen beide noch nicht, dass mir dieser jetzt noch so elegant aussehende Mann nur eine Woche später in einem erstaunlich ungepflegten T-Shirt schon an der Tür wutentbrannt Hausverbot erteilen wird, weil alle seine weißen Hemden in der Reinigung verloren gegangen sind. Aber das ist eine andere Geschichte.

Ein paar Tage später flog Sylvia Brandt nach Australien, und ich kümmerte mich um ihre Katze. Zwar hasste mich das Tier von der ersten Sekunde an, aber ich fütterte es trotzdem. Alles war okay, bis ich drei Tage drauf einen Anruf bekam. Ein gewisser Kevin, der sich als fester Freund von Sylvia vorstellte und wissen wollte, ob es stimme, dass ich Sylvias Katze fütterte.

– Ja, warum?

– Ach klar, wunderbar. Find ich super. Und wieso hat sie denn dir den Schlüssel gegeben und nich mir, hm, hm, haste da irgend 'ne Idee oder so, hm.

– Na ja, nee, äh, vielleicht wollt se dir nicht lästig fallen oder so, was weiß ich?

– Ja klar. Nee, is' super, find ich richtig toll, find ich ganz wunderbar, total klasse, na, wenn ihr euer Ding so durchziehn wollt, meinetwegen, mir scheißegal. Aber da is' das letzte Wort noch nicht gesprochen, verstehste, da kommste mir so nich' mit durch, nich' mit mir. Ich muss in die Wohnung, ich, ich hab da noch Sachen. Verstehste? Die brauch ich. Alle. Verstehste? Ich bin in zwei Stunden da.

Er legt auf. Zwei Minuten später ruft Sylvia an.

– Hallo, Horst, ganz schnell. Falls sich Kevin meldet, ignorier ihn. Er ist ein Idiot. Ich hab schon vor über einem Monat mit ihm Schluss gemacht, aber er will's immer noch nicht wahrhaben. Lässt mich einfach nicht in Ruhe. Ehrlich gesagt, er macht mir langsam Angst, provozier ihn lieber nicht, er ist Kickboxer, und lass ihn um Gottes willen nicht in die Wohnung. Danke, tschüs!

Denke: Ääääähhh … und dann: Na ja, wird sich schon alles wieder einrenken. Beschließe aber, für die nächsten fünf, sechs Stunden das Haus vorsorglich zu verlassen.

Als ich zurückkomme, sehe ich einen jungen Mann hektisch vor dem Haus auf und ab gehen. Vermutlich Kevin. Gehe in eine nahe Kneipe und gucke von da alle halbe Stunde, ob die Luft rein ist. Erst gegen halb sechs Uhr morgens komme ich wieder in meine Wohnung. Die nächsten Tage verbringe ich in ständiger Angst und öffne niemandem die Tür. Alles bleibt ruhig. Bis heute Morgen plötzlich die Polizei anruft.

– Herr Evers.

– Ja.

– Ja, schönen guten Morgen, hier ist Hauptkommissar Reibnitz. Wir haben hier eine besorgte Anfrage des Bürgers Kevin Somann. Was wissen Sie über den Verbleib von Frau Sylvia Brandt?

– Na, die ist für zwei Monate in Australien.

– Nee, wir haben alle infrage kommenden Flüge überprüft. In den letzten Wochen ist keine Sylvia Brandt nach Australien geflogen.

– Aber …

– Na, nu machen Se sich mal keine Sorgen. Wir schicken Ihnen bei nächster Gelegenheit zwei Beamte vorbei. Bitte verlassen Sie nicht die Wohnung. Bis gleich.

Jetzt, finde ich, ist ein guter Moment, Sylvias Handynummer auf der Zeitung zu finden. Wühle seitdem das Altpapier durch. Entdecke am Karton Nagerspuren. Mist, eine Maus, na ja, kein Problem, hab ja Zugriff auf eine Katze. Hole sie hoch. Das Tier wehrt sich mit Pfoten und Pfoten. Als sie nach zwei Minuten in meiner Wohnung die Tapete zerkratzt, den Mülleimer umgeworfen und einen Sessel zerfetzt hat, stelle ich fest, dass das eine Scheißidee war. Aber jetzt lässt sie sich nicht nochmal einfangen. Seitdem läuft die Katze in meiner Wohnung Amok. Und jetzt klingeln auch noch die Polizisten Sturm. Renne zum Küchenfenster, um zu schauen, ob ich vielleicht übers Dach … Die Katze wühlt im Müll und zerfetzt mit zwei Tatzenschlägen eine alte Zeitung, um an alte Fischreste zu kommen, und auf der Zeitung: die Nummer. In einem kurzen Handgemenge entreiße ich der Katze die Nummer, stürze zum Telefon, tippe sie ein:

– Hallo Sylvia!

– Was?

– Sylvia … ich … die Polizei!

– Ach, Horst, du bist es. Hier ist nicht Sylvia. Hier ist Carola, weißt du noch, deine Exfreundin.

– Was?

– Schön, dass du anrufst. Ich hatte noch gar keine Gelegenheit, mich für den Kuchen zu bedanken.

– Was?

– Der Kuchen, den du mir geschickt hast. Ich hab ihn zusammen mit meiner Mitbewohnerin Sabine Jansen ausgepackt. War leider nicht mehr gut …

– Was?

Höre, wie die Polizisten mittlerweile an die Wohnungstür hämmern. Irgendwer muss sie ins Haus gelassen haben.

– Was hämmert denn da so bei dir? Wie geht's Sylvias Katze?

– Was?

Die Katze springt durchs offene Fenster aufs Dach und saust davon. Jetzt erinnern nur noch meine aufgekratzten Unterarme und die Blutspuren vom letzten Kampf im Zimmer an das gestörte Tier.

– Gibt's Probleme mit dem Tier?

– Was? Nein, nicht mehr …

An dieser Stelle bricht die Geschichte leider ab. Aufgeschnappt habe ich sie auf einer Bahnfahrt Anfang des Jahres, wo sie zwischen Hildesheim und Braunschweig ein Mann in einem schlecht sitzenden dunklen Anzug einem anderen Mann, ich vermute, einem Anwalt, erzählt hat. In Braunschweig sind die beiden dann aber leider ausgestiegen. Da ich mir nicht sicher bin, ob ich auch wirklich alles richtig mitgekriegt habe, und auch aus Gründen des Persönlichkeitsschutzes, habe ich alle Namen geändert und selbst die Rolle des Mannes übernommen.

Trotzdem, falls sich jemand in dieser Geschichte wiedererkennt: Ich wüsste schon gern, wie es eigentlich ausgegangen ist.

Ansonsten müsste ich mir diesen Schluss irgendwann selbst ausdenken, was auch nicht so schlimm wäre. Der Möglichkeiten gäbe es ja schließlich einige.

# 3
# Wissen ist
# überall

## Düsseldorf

Zum Beispiel Düsseldorf. Auch so 'ne Stadt.

In Kürze werde ich sicher wieder zu jemandem den Satz sagen, den ich so oder ähnlich früher oder später überall sage. «Nein, ich bin tatsächlich zum ersten Mal hier, aber ich habe schon viel von Ihrer schönen Stadt gehört.» In Berlin gäb's für so einen Satz ja gleich was auf die Fresse, und zu Recht, aber anderswo darf man ziemlich lange ziemlich viel Mist reden, bis es Ärger gibt. Das kommt mir und meinem Naturell sehr entgegen.

Es heißt, in Düsseldorf gäbe es die meisten schönen Frauen in ganz Deutschland. Na toll, da bin ich ja mal gespannt. Außerdem mag das wohl sein, nützt mir aber im Prinzip herzlich wenig, wenn sie mich dann nicht ansprechen. Und sie sprechen mich nie an. Wie viel Zeit hab ich nicht schon damit verbracht, in irgendwelchen Cafés rumzusitzen und mich allein darauf zu konzentrieren, irgendwie interessant auszusehen. Für nischt und wieder nischt. Sie sprechen mich nie an. Blödes Düsseldorf, hör mir doch auf.

Am Bahnhof angekommen, starre ich erst mal Hilfe suchend in die Gegend. Eine schöne junge Frau spricht mich an.

– Kann ich helfen?

Bin gehörig fassungslos verblüfft, gucke vermutlich leider auch so, versuche aber weltmännisch und gelassen zu antworten:

– Was?

– Na, Sie sehen so aus, als wenn Sie sich nicht auskennen, und da dacht ich, frag ich, ob ich helfen kann, is' doch normal.

– Ja. Normal. In Düsseldorf. Da ist das normal. Völlig klar. Ich, äh, ich brauch eine Zeitung, mit Immobilienteil, ich würd gern hierherziehen.

Sie lacht.

– Wissen Sie schon, wo Sie hinmüssen?

Sage ihr die Adresse meines Hotels. Sie freut sich.

– Oh, das liegt auf meinem Weg, da kann ich Sie mitnehmen.

Auf der Fahrt zeigt sie mir ein wenig die Stadt. Ich stammle eloquent:

– Schön. Wunderschöne Stadt. Ganz herrlich wunderschön, auch diese ganzen … diese hier … so … Häuser und so … alles da … wunderschön.

Sie versucht tapfer, das Gespräch in Gang zu halten:

– Und was machen Sie in Düsseldorf? … Ah, das ist ja toll … Da machen Sie sicher auch was über Möllemann? … Nein, ach, das ist ja schade, käme im Moment bestimmt gut an … Ihr Hotel ist direkt in der Altstadt, da haben Sie Glück, da ist rund um die Uhr richtig was los.

Irgendwann setzt sie mich am Rande der Altstadt ab. Noch lange schaue ich sinnierend ihren Rücklichtern nach. Dann spricht mich eine andere schöne junge Frau an und hilft mir, die Taschen zum Hotel zu tragen. Ich liebe diese Stadt.

Der Hotelportier freut sich völlig grundlos, dass ich gut angekommen bin, sagt, dass er vielleicht in die Vorstellung kommt, und fragt, ob ich auch was über Möllemann mache. Als ich verneine, ist er sichtlich enttäuscht. Am Abend erscheint er nicht zur Vorstellung.

Die Einschätzung, in der Altstadt sei rund um die Uhr richtig was los, erweist sich als sehr stimmig. Mein Zimmer ist nach vorne raus.

Dann zum Theater. Der Veranstalter fragt, ob ich auch was zu Möllemann mache. Nach meiner Antwort wird seine Miene sorgenvoll. Nach der Vorstellung Gespräch mit den Zuschauern, sagen, war schön, aber ein Thema habe ihnen doch gefehlt. Ergreife die Flucht.

Im Hotel um drei Uhr vom Lärm entnervt wieder aufgestanden, wieder angezogen und nochmal runter zum Pub vorm Hotel. Erklärtes Ziel: so lange betrinken, bis ich von allem nichts mehr mitkriege. Ist aufwendiger, als ich dachte.

Im Gespräch mitgekriegt, fast alle Gäste des Pubs wohnen in diversen Hotels in der Straße, trinken hier entnervt, bis sie von allem nichts mehr mitkriegen, und machen so selbst wieder Lärm. Bin beeindruckt. Düsseldorfer Altstadt scheint perfekt ausgeklügeltes, in sich geschlossenes, funktionierendes Wirtschaftssystem zu sein. Da kann man noch von lernen.

Gegen fünf zweimal mit dem Kopf auf Kneipentisch gefallen. Stammhirn meldet hinsichtlich des Hucke-voll-trinken-Projektes Vollzug. Schleppe mich mit letzter Kraft ins Hotelzimmer und schlafe sofort ein. Dann fall ich mit zwei Dritteln meines Körpers aufs Bett. Reicht.

Gegen halb sechs donnert's an die Tür. Der Wirt vom Pub. Er bittet mich, das Fenster zuzumachen, weil sich seine Gäste bei meinem Geschnarche nicht mehr vernünftig unterhalten können. Fragt dann, ob es stimmt, dass ich nichts über Möllemann gemacht habe. Werfe ihn raus.

Am nächsten Tag Viertelstunde über Möllemann gemacht.

Im Pub dafür Freibier bekommen. Verstehe langsam die Düsseldorfer Strukturen. In der Nacht wie auch in der nächsten greifen wieder die Gesetzmäßigkeiten des Düsseldorfer Altstadtmarktwirtschaftsmodells.

4. Tag. Bin mittlerweile völlig übernächtigt. Publikum hat gestern nach der Vorstellung gesagt, ich hätte mich ihnen als Jürgen W. Möllemann vorgestellt. Hätte ihnen aber gut gefallen.

Die ständige Freundlichkeit der Düsseldorfer geht mir langsam auf die Nerven. Kann keine schönen Frauen mehr sehn. Will mal wieder richtig beschimpft werden. Suche Streit. Beschließe, zu einer Bank zu gehen, und will für den Urlaub spanische und italienische Euro umtauschen. Werde so lange darauf beharren, bis der Kassierer mich anschreit. Das könnte mir helfen. Kassierer lächelt nur freundlich und tauscht anstandslos die Euro um. Sagt, das wird hier oft verlangt. Gebe auf, gegen diese Stadt bin ich machtlos. Stelle mich am nächsten Morgen einfach stumpf mit meinem Gepäck vors Hotel und warte, bis mich eine schöne junge Frau zum Bahnhof bringt.

# Fahrtenschreiber 1

In einer Gaststätte in der Nähe des Hamburger Bahnhofs gibt es auf dem Herrenklo einen Hinweiszettel: «Bitte keine Tiere in der Toilette zurücklassen!»

Seit ich diesen Zettel vor einigen Wochen gelesen habe, beschäftigt er mich. Wie kommt es zu so einem Zettel? Was ist die Vorgeschichte? Funktioniert der Zettel? Oder hat er überhaupt erst Leute auf die Idee gebracht, ihre Tiere in dieser Toilette auszusetzen? War das womöglich die eigentliche Absicht des Besitzers? Auf diese perfide Art zu möglichst vielen Tieren zu kommen? Und wenn ja, warum? Was will er denn mit denen allen?

Und macht sich überhaupt irgendjemand eine Vorstellung davon, wie viele Sportplätze es an der Bahnstrecke zwischen Hildesheim und Braunschweig gibt? Völlig absurd. Mindestens dreimal so viel wie im Rest der Republik. Guck, da, schon wieder einer. Und kein einziger wird benutzt. Treiben die Menschen zwischen Hildesheim und Braunschweig gar keinen Sport? ... Obwohl, im Moment sieht man ja überhaupt gar keinen. Sind da überhaupt Menschen zwischen Hildesheim und Braunschweig? Also, ich kenn keinen. Wobei, Häuser gibt es schon. Da, da, überall Häuser. Aber das muss nix heißen. Vielleicht hat man diese ganzen Häuser, Straßen und Sportplätze da auch nur versehentlich hingebaut und erst hinterher gemerkt, dass da ja gar keiner wohnt. Und jetzt steht dieses ganze Zeug da einfach nur so rum ...

Auf der Toilette vom Café Lomo in Mainz hängt in der Kabine ein Zettel: «Kein Trinkwasser!» Wohlgemerkt, da ist kein Waschbecken oder so in der Kabine. Nur die Schüssel und ebendieser Zettel: «Kein Trinkwasser!» Was ist da die Vorgeschichte? Also, ich zumindest habe nach dem Besuch dieser Toilette die Mainzer mit ganz anderen Augen gesehen. Wobei ich einräumen muss, dass in keiner anderen Mainzer Toilette nochmal so ein Zettel hing. Andererseits waren alle diese anderen Mainzer Toiletten aber auch auffallend sauber und gepflegt. Also so sauber, dass man da wahrscheinlich auch … Da wird man doch misstrauisch.

Ich habe einen Bekannten, der behauptet steif und fest, es sei früher für ihn immer total nervig gewesen, dass ständig Leute aus seinem Haus die Haustür abgeschlossen hätten. Und er musste dann ständig bei Besuch aus dem 4. Stock runter, um die Tür aufzuschließen. Bis er irgendwann unten einen Zettel aufgehängt habe: «Bitte immer die Tür abschließen!» Seitdem sei sie immer offen.

Hinter Braunschweig sieht's auch nicht viel anders aus als vor Braunschweig. Mir wird ein bisschen langweilig. Früher, wenn's mir in der Bahn langweilig wurde, habe ich gerne mein Telefon genommen, meine Reisetasche geöffnet, den Kopf mit Telefon da reingesteckt und, speziell in Gebieten mit sehr schlechtem Empfang, ganz, ganz laut gerufen: «Ja, ja, ich höre dich sehr gut, du hattest recht, diese Tasche bündelt und verstärkt den Empfang echt ganz enorm, ich kann dich absolut gut verstehen, obwohl wir im Moment fast gar kein Netz haben.» Zuerst bin ich mir blöd vorgekommen, aber seit immer mehr Fahrgäste hinterher gefragt haben, ob sie mal die Tasche benutzen dürften, oder sich nach dem Fabrikat erkundigten, machte es mir immer mehr Spaß. Ich liebe es, wenn sie Minuten später zerzaust und enttäuscht wieder aus der Tasche hervorkommen: «Nee, schade, bei mir funktioniert es nicht.»

Ich mag sehr an dieser Zeit, dass mittlerweile immer mehr

Menschen bereit sind, praktisch alles für möglich zu halten, auch dass sie mit dem Kopf in der Reisetasche einen besseren Handyempfang haben.

In München, auch in einer Bahnhofskneipe, hängt auf der Toilette ein Zettel: «Fotografieren verboten!»

Wenn man diese Toilette gesehen hat, weiß man allerdings ganz genau, warum der Wirt diesen Zettel aufgehängt hat. Trotzdem schade.

Die Durchsage behauptet, wir haben 15 Minuten Verspätung. Angeblich wegen Geröllverschüttungen. Ich glaub ihr kein Wort. Offiziellen Stellen glaub ich gar nichts mehr. Nicht dass das irgendwas verändern würde, ich glaub's halt nur nicht. Fertig. Geröllverschüttungen. Zwischen Braunschweig und Berlin? Ich hab mal gehört, bei der Bahn gibt es längst Kreativwettbewerbe fürs Personal: für besonders originelle Verspätungsgründe. Für die besten und originellsten Ideen gibt es richtig hohe Prämien. Der, der sich diese Geröllver-schüttungen ausgedacht hat, ist wahrscheinlich in Bahnkrei-sen mittlerweile ein richtiger Star. Dafür brauchten die also die Preiserhöhungen.

Und 2,60 Euro für diesen Mitropa-Kaffee sind definitiv zu teuer. Das wollt ich schon immer mal sagen. Außerdem finde ich es ungerecht, dass man nach einem Kaffee immer dreimal auf Toilette muss. Einmal pro Kaffee, das fände ich gerecht. Würd keiner was sagen. Aber dreimal, das ist doch nicht ge-recht. Da ist man ja nur am Rennen. Jetzt muss ich schon wieder. Und dann kommt man zurück, weiß gar nicht mehr, wo man war, schreibt irgendwo weiter, und hinterher hat man dann im Text diese Sprünge …

Der Mann einen Waggon weiter hat auch ziemlich gequält auf seinen Laptop geguckt. Will wahrscheinlich auch was schreiben. Hat wahrscheinlich auch keine Idee. Er tut mir leid. Gehe nochmal zur Toilette zurück und hänge dort einen Zettel auf:

«Bitte keine Tiere in der Toilette zurücklassen!» So, wenn er jetzt nochmal auf Toilette muss, hat er dann doch auch was, worüber er schreiben kann. Ich bin schon ziemlich nett. Raune ihm beim Zurückgehen zu: «Trink doch mal 'nen Kaffee!»

Ein Freund erzählte mir, in Fulda hängt an einer wohl irgendwie historischen Toilette in der Nähe des Doms ein Zettel:

«Dies ist keine Toilette! Bitte benutzen Sie die Anlagen im Park vor der Orangerie! «

Ein verwirrender Zettel, der auch noch unglücklich formuliert ist. Welche Anlagen im Park?

Berlin-Charlottenburg. Der Zug ist gleich da. Na, das heißt dann ja wohl, dass dieser Text damit fertig ist. Schön. Ich packe zusammen.

Der Zug bleibt stehen. Auf offener Strecke, kurz hinter Charlottenburg. Warum? Heißt das, der Zug ist der Meinung, der Text ist doch noch nicht fertig? Wie kann er das wissen? Hm. Intelligente Maschinen? Züge? Jetzt hör mir aber mal auf. Aber ich lass mich nicht von der Technik terrorisieren. Ich mach nix. Ich kann warten.

… Der Zug kann auch ziemlich gut warten.

Die anderen Fahrgäste werden ziemlich sauer. Hoffentlich merken die nicht, dass das meine Schuld ist, dass der Zug hier steht …

Die Durchsage behauptet, ich sei gar nicht schuld. Es gebe Probleme mit der städtischen Stromversorgung. Na, da wird sich aber jemand eine ganz schöne Prämie verdient haben.

Ganz langsam, im Schritttempo rollen wir jetzt durch Berlin. Mensch, das kann auch richtig schön sein. Die Stadt sieht ganz anders aus. Man muss nur mal langsamer gucken. Ganz anders.

Bahnhof Zoo. Endlich. Knapp eine Stunde Fahrzeit von Charlottenburg bis Bahnhof Zoo. Mensch, Berlin ist doch größer, als man so denkt.

Am Zoo steht der Schaffner laut schimpfend auf dem Bahnsteig. Weil irgendjemand einen Hund und einen kleinen Affen in der Zugtoilette zurückgelassen hat ...

# Rheine

«In Rheine ...», sagte der Mann in der Regionalbahn, «in Rheine ...», und ich hörte zu, «in Rheine ...», und ich war gespannt, was er über Rheine Erschütterndes wusste, «in Rheine ...», und ich dachte: Ob da wohl noch was kommt, «in Rheine ...», und ich beschloss, nun zu zählen, wie viele Anläufe für seinen Satz er wohl noch nehmen würde, «in Rheine ...», und ich staunte: sechs, «in Rheine ... da is' doch nix los. Wennde was erleben willst, dann musste nach Münster fahren. Da is' was los!» Und ich dachte: Ah ja, wennde was erleben willst, musste nach Münster fahren? O mein Gott. Ich fuhr also nach Rheine, und ich erwartete nichts. Gar nichts. Aber dann:

Im Restaurant. Zwei Tische weiter sitzt eine Familie. Mutter, Vater und ein circa vierjähriges Kind. Die Kellnerin steht auch da und erwartet die Bestellung. Die Familie hat Streit. Das Kind weigert sich, die Kinderspaghetti zu bestellen, will eine reguläre Portion Makkaroni mit Pilzsauce. Der Vater ist wütend.

– Und dann isst du wieder nur die Hälfte. Nimm die Kinderspaghetti, die schaffst du.

Das Kind bleibt bockig.

– Ich hab aber keine Lust auf diese blöden Spaghetti. Ich will Makkaroni.

– Die Nudeln schmecken alle gleich, nur die Form ist anders.

– Gar nicht.

– Aber doch.

– Ich will die Makkaroni!

– Nein.

– Doch.

– Nein!

– Doch!

– Nein!!!

– Doch!!!

– Nein!!!!!

– Doooooooooooooooo...

– Na gut. Aber wehe, du isst deinen Teller nicht leer. Das musst du jetzt mal begreifen. Was man sich bestellt, muss man auch aufessen. Sonst gibt's Ärger, ist das klar?

Die Kellnerin geht jetzt lächelnd dazwischen.

– Ich denke, wir kriegen das schon hin.

Dann nimmt sie die restlichen Bestellungen auf, Pizza für die Mutter, Pasta mista für den Vater, und verschwindet grinsend in die Küche.

Eine Viertelstunde später bringt sie das Essen. Eine adrette, gut überschaubare Kinderportion Makkaroni, Pizza für die Mutter und für den Vater einen gigantischen Teller, nein eine Platte, quasi ein riesiges Tablett, turmhoch gefüllt mit Nudeln jedweder Couleur. Nicht ohne eine gewisse Kraftanstrengung stellt sie den halben Kubikmeter Nudeln vor ihm ab. Dann strahlt sie ihn an:

– So, und schön den Teller leer essen!

Glucksend geht sie zurück. Mutter und Kind, das halbe Restaurant lachen los. Der Vater starrt auf sein Nudelgebirge. Er sagt nichts. Dann jedoch bekommt sein Gesicht plötzlich einen entschlossenen Zug. Er greift zur Gabel und beginnt sein Martyrium.

Die anderen Gäste beobachten ihn. Stühle werden gerückt, um einen besseren Blick auf den Mann und seine Nudeln zu bekommen.

Stunden vergehn. Nudel für Nudel arbeitet sich der Mann voran. Sein Tempo ist langsamer geworden. Dennoch führt er nach wie vor stetig, fast schon mechanisch, eine gefüllte Gabel nach der anderen in seinen Mund. Sein glasiger, leerer Blick scheint nur noch auf das Nudeltrumm gerichtet, das aber nicht wirklich kleiner wird. Die Tische des Restaurants bilden mittlerweile eine Art Arena. Alles schaut nur noch dem Mann zu, diskutiert, Wetten werden abgeschlossen. Die meisten Gäste haben mittlerweile ihr Essen beendet, bestellen aber immer wieder Getränke nach, um nichts von dem Schauspiel zu verpassen. Mutter und Kind haben längst jeden Kontakt zu ihrem Familienmitglied verloren. Fassungslos starren sie ihn an. Die anderen sind sich einig: Dies ist das größte Ereignis in Rheine, seit Volker Schmidmann vor fünf Jahren beim Versuch, seine eigene Scheune anzuzünden, ums Leben kam.

Viele Stunden später, gegen Mitternacht, ist das Restaurant, das eigentlich um 22.00 Uhr schließt, immer noch völlig überfüllt. Es ist sehr laut. Mutter und Kellnerin geben Interviews für verschiedene Zeitungen und Radiosender, die mittlerweile Reporter geschickt haben. Die Nudelplatte ist jetzt fast leer. Der Mann ist längst nur noch ein Nudeln verzehrender Schatten. Seine Hand zittert, aus dem Innern seines Körpers kommen mannigfaltige, skurrile Geräusche. Dann sind es nur noch 5 Nudeln. Die mitfiebernde Menge zählt runter: 5-4-3-2-1 … es ist fast geschafft. Der Mann hält die letzte Nudel vor seinen Mund. Lässig schaut er zur Kellnerin und sagt: «Die Dessertkarte bitte.» Die Menge johlt. Dann aber legt er die letzte Nudel plötzlich wieder ab, lächelt zu seinem Kind hinüber: «Tut mir leid, aber ich schaff's nicht.» Steht auf und geht wie ein Herr zur Toilette. Er wird lange Zeit dort sein.

Ja, wir haben sie noch, die wahren Helden. In Rheine, da sitzen sie und essen Nudeln.

# Alle Wege führen nach ...
## ... Öhringen

Bin auf dem Weg zum Veranstaltungsort *Kultura*. Frage einen Passanten nach dem Weg. Er ist freundlich.

– Oh, das ist kein Problem, zur *Kultura*, da fahrn Sie einfach über die Autobrücke und dann ...

– O nee, ich bin zu Fuß.

– Zu Fuß? O ja dann ... zu Fuß ...

Er kommt ins Nachdenken.

– Wie kommt man zu Fuß zur *Kultura*? Da gehn Sie ... nee, da müssen Sie, nee, da kommen Sie auch nich' durch, na dann einfach, obwohl, nee, das haut nich' hin ... Wissen Sie, ich bin auch erst Ende der 70er hergezogen, zu Fuß bin ich das noch nie gelaufen. Zu Fuß zur *Kultura* ...

Er denkt nach. Lange. Sehr, sehr lange. Und dann noch etwas länger:

– Zu Fuß zur *Kultura* ...

Sein Blick wird traurig. Er unterdrückt ein paar Tränen. Plötzlich schaut er auf, strahlt und ruft zur anderen Straßenseite:

– He, Lutz, wie kommt man zu Fuß zur *Kultura*?

– Na, fährste einfach über die Autobrücke ...

– Neenee, zu Fuß.

– Wie, zu Fuß?

– Na, ohne Auto!

– Wie, ohne Auto? Versteh ich nich'. Was soll der Quatsch? Lass mich doch mit so'm Scheiß in Ruhe.

Lutz geht weiter. Jetzt rollen die ersten Tränen über die Wangen meines freundlichen Passanten. Ich sage:

– Is' nich so schlimm. Ich find das schon. Vielen Dank.

Er greift mich am Arm.

– Nein, nein, wir kriegen das raus.

Er zerrt mich drei Häuser weiter und klingelt da im zweiten Stock.

– Wenn wir Glück haben, ist die alte Frau Schmidek zu Hause. Die wohnt schon ewig hier, und die geht öfter mal zu Fuß, die könnte so was wissen …

## ... Germering

Muss nach Germering bei München. Spiele dort in der Stadthalle. Das heißt, nicht in der Stadthalle selbst, sondern in ei-
nem kleinen Klub in der Stadthalle. Der Klub heißt *Nachtasyl*,
schließt aber immer spätestens um 23.00 Uhr. Beschließe,
den Veranstalter nicht darauf anzusprechen. Geht mich ja nix
an, müssen die ja selber wissen.
Aufgrund meiner Öhringen-Erfahrungen erfrage ich den
Weg diesmal schon in Berlin, mit der «Von-Haus-zu-Haus-
Auskunft von www.bahn.de». Die sagt mir, ich soll einfach bis
München fahren, dann in die S-Bahn, und vorm S-Bahnhof
Germering fährt dann ein Bus, der mich bis direkt vor die
Stadthalle fährt. Was sie mir nicht sagt, ist, dass die Stadthalle
Germering vom S-Bahnhof Germering in etwa so weit entfernt ist wie der Zoologische Garten vom Bahnhof Zoo. Sie
steht wirklich direkt daneben, und sie ist sehr, sehr groß. Ich
aber, am S-Bahnhof Germering angekommen, guck da nicht
lange hoch, ich weiß ja von www.bahn.de, wie ich zur Stadthalle komme, was soll ich da noch lange in die Stadt gucken,
mach ich ja in Berlin auch nie. Schlurfe stattdessen mit all
meinem Gepäck, im Hochsommer, schwer schwitzend und
tropfend, zur Bushaltestelle. Erfahre vom Plan, dass ein Bus
gerade gefahren ist, der nächste in 30 Minuten kommt. Nach
fünf Minuten Warten und Tropfen frage ich dann doch einen
Passanten.
– Entschuldigen Sie, zur Stadthalle, wie weit ist das? Kann
man das auch laufen?
Er starrt mich an. Nach ungefähr einer Minute frage ich
nochmal.
– Zur Stadthalle. Wie lange laufe ich da ungefähr?

Er starrt mich immer noch an. Runzelt die Stirn. Schaut nochmal zur Seite, ob die Stadthalle noch da ist. Ja, ist noch da. Dann sagt er:

– Na ja, kommt ganz drauf an, wie schnell Sie so gehen.

Jetzt starre ich ihn an. Er grinst.

– Na ja, gehn Se mal zehn Meter, dann schätz ich.

Mittlerweile sitzen wir seit gut einer halben Stunde bei Frau Schmidek oben und diskutieren über den Fußweg zur *Kultura*. Frau Schmidek ist sich sicher, dass sie mal als Kind zu Fuß zu dem Gelände, wo heute die *Kultura* ist, gelaufen ist, aber sie kann sich einfach nicht mehr an den genauen Weg erinnern. Längst hat man aus dem ganzen Haus unzählige Menschen in Frau Schmideks Wohnung gebeten. Alle diskutieren emsig mit. Es ist sehr laut. Sogar Herr Stamann vom Heimatmuseum ist gekommen. Er hat einige historische Stadtpläne mitgebracht, auf denen jetzt fleißig nach alten Fußwegen gesucht wird. Frau Schmidek reicht Likör. Die Stimmung ist eigentlich ganz gut. Dennoch kriecht auch langsam eine gewisse Verzweiflung hoch. Kurz bevor niemand mehr Hoffnung hat, springt mein erster Passant auf:
«Ich hab's. Ich bring dich einfach mit dem Auto hin ...»
Netter Mensch.

## Schuld und Sühne

Es ist ein heißer Frühlingsnachmittag. Ein sehr heißer Frühlingsnachmittag. Bepackt mit drei schweren Taschen, in
Wollpullover und Mantel, mit knallrotem Kopf und triefend
vor Schweiß schleppe ich mich die 10 Minuten vom Bahnhof
zum Hotel. Diesen zu Fuß circa 10-minütigen Weg schlurfe
ich jetzt seit gut zwei Stunden. Oder besser gesagt: Der Weg
vom Bahnhof zum Hotel ist offensichtlich die einzige Strecke
in der Innenstadt von Bonn, die ich in den letzten zwei Stunden noch nicht gegangen bin. Schade eigentlich.
Sehe ein gutes Stück vor mir Flüssigkeit auf dem Bürgersteig. Gehe dorthin, beuge mich hinunter und nehme die
Witterung auf. Vergleiche den Geruch der Flüssigkeit mit
dem Geruch meines Pullovers. Kein Zweifel, die Flüssig-
keitsspur auf dem Bürgersteig ist mein Schweiß. Ich bin im
Kreis gelaufen, wer weiß, wie lange schon. Die erste Stunde
hat mein Pullover den Schweiß bestimmt noch tadellos auf-
gesaugt. Aber irgendwann war er wohl voll. Seitdem tropfe
ich. Der Pullover ist auch ganz schön schwer geworden.
Verstehe langsam auch, warum das hier in der Stadt so komisch riecht. Wundere mich sowieso schon seit einiger Zeit,
warum mir die anderen Passanten in immer größeren Bögen
ausweichen.
Rieche nochmal am Schweiß auf dem Bürgersteig. Analysiere
genauer. Stelle fest, dass auch Tränenflüssigkeit dabei ist. Offensichtlich weine ich auch schon seit einiger Zeit leise vor
mich hin. Merkt man gar nicht, wenn eh das ganze Gesicht
unter Wasser steht.
Ich habe mich verlaufen. In Bonn. In Bonn verlaufen. Das
glaubt mir in Berlin doch keiner. Die lachen mich doch aus.

Im kleinen Bonn. Fühle mich gedemütigt. Natürlich könnte ich jemanden nach dem Weg fragen.

Aber man kann kaum beschreiben, was für ein Gefühl es ist, als Berliner einen Bonner nach dem Weg fragen zu müssen. Das ist doch verkehrte Welt, gegen die Vorsehung, das Universum würde implodieren. Und ich wäre schuld. Ich hätte nie gedacht, dass ich mal in eine Stadt kommen würde, in der sich die Bonner besser auskennen als ich.

Und wenn ich einen Bonner frage: was, wenn der vor kurzem auch schon mal in Berlin war, sich verlaufen hat, einen Berliner nach dem Weg gefragt und eine typische, ortsübliche Berliner Antwort bekommen hat? Mit einer ordentlichen Portion Berliner Witz und Schnauze:

– Zum Reichstag jeht's hier nich'.

– Wegauskünfte nur wochentags zwischen 9 und 9 Uhr 15.

Oder: Na, da fahrn Se am besten zum Bahnhof Zoo, steigen in einen Zug in Richtung Bonn und gucken zu Hause nochmal in Ruhe in Ihren Atlas.

Der wartet doch nur auf eine Chance zur Rache. Schleppe mich traurig zum Rheinufer, wringe meinen Pullover aus und beobachte, wie der Pegel des Rheins ein gutes Stück steigt.

Ich muss etwas unternehmen, will nicht auch noch für das nächste Rheinhochwasser verantwortlich sein. Fasse mir ein Herz und spreche den nächstbesten Passanten an. Ich muss nur charmant sein, erst mal so ins Gespräch kommen, mich vielleicht nicht gleich als Berliner zu erkennen geben.

– Entschuldigen Sie, wissen Sie, wie spät das ist?

– Oh, tut mir leid, nein, weiß ich nicht.

– Oh, macht nix, kein Problem, es ist 16.38 Uhr. So, wo ich Ihnen jetzt geholfen habe, können Sie mir vielleicht auch einen Gefallen tun, wie komme ich denn hier zum Hotel Aigner? Er grinst mich an.

– Na da fahrn Sie mal am besten zum Bahnhof, steigen in einen Zug nach Hause und gucken da nochmal in Ruhe im Atlas.

Ich starre ihn fassungslos an.

Er zeigt auf den Aktenordner unter seinem Arm. «Europäisches Patentamt». Verstehe. Eines der wenigen Ämter, die von Berlin nach Bonn umgezogen sind.

Er grinst noch breiter.

– Na denn, schönen Tach noch, wa.

Mich ergreift tiefe Verzweiflung. Greife meine Taschen und stürme in die nächstbeste Bäckerei.

– Hallo, ja, ich geb es zu, ich bin aus Berlin, aber ich hab das alles nicht gewollt. Ich war immer, hören Sie, immer gegen den Hauptstadtumzug. Ehrlich! Ich bin einer von den Guten. Ja, fragen Sie sich, warum? Gut, analysieren wir's doch mal nüchtern. Warum sollte die Regierung denn nach Berlin? Damit sie näher an den Problemen der Menschen ist. Das ist doch völlig falsch gedacht gewesen. Klug wäre es gewesen, nicht die Regierung zu den Problemen umziehen zu lassen. Sondern die Probleme zur Regierung. Damit wäre auch Berlin geholfen gewesen. Und außerdem, ich find es toll, dass die Pfannkuchen hier Berliner heißen. Jawoll! Ehrlich!

Dann breche ich zusammen. Als ich wieder aufschaue, bemerke ich, dass die Bäckersfrau gar nichts mitgekriegt hat, weil sie gerade irgendwie in den Hinterräumen der Bäckerei zu tun hat. Im Laden sind außer mir nur noch drei japanische Touristen, die mich irritiert betrachten und dann ein paar Fotos machen.

Zeige unter Tränen auf die Adresse meines Hotels, und sie bringen mich da hin. Warn ja nur 200 Meter.

# Stuttgarter Nächte

Samstagnacht, 2.30 Uhr. Bin in Stuttgart auf meinem Zimmer und höre in voller Lautstärke die «Bohemian Rhapsody».
Künstlerwohnungen direkt im oder über dem Theater sind eine großartige Sache. Ich liebe es, direkt aus dem Bett auf die Bühne zu schluffen und gleich nach dem Auftritt nur ein paar Schritte bis zurück zum Bett zu haben. Klar, manchmal vertut man sich mit dem Weg, schläft einen Tick zu früh ein, aber auch so eine Nacht im Theater zu schlafen kann mal ganz schön sein. Künstlerwohnungen direkt im oder über dem Theater werden allerdings dann zum Problem, wenn sich der Veranstalter, grundsätzlich berechtigt, entschlossen hat, im Anschluss an die Veranstaltung seine Kasse noch mit einer Disco aufzubessern:
«Galileo, Galileo, Galileo damm damm damm damm, I'm just a poor boy, nobody loves me, he's just a poor boy from a poor family …»
Früher hätte ich vielleicht gesagt, na, dann feier ich doch einfach mit. Aber es ist eine Ü-30-Party, und dafür fühle ich mich einfach noch nicht reif genug. Nicht dass ich nicht schon über 30 wäre, doch, doch, das bin ich schon. Von daher wäre ich qualifiziert. Aber Ü-30 ist nach oben hin offen, was dazu führt, dass die meisten Gäste dann doch eher so um die 50 sind. Keine Ahnung, wo die 30-Jährigen feiern, hier jedenfalls nicht.
Nicht dass ich was gegen 50-Jährige hätte, im Gegenteil, hätte ich die Wahl zwischen einer Ü-30- und einer Ü-50-Party, würde ich wahrscheinlich die Ü-50-Party wählen. Eine seriöse Ü-50-Party, das würde mir gut gefallen. Aber 50-Jährige, die eine Ü-30-Party feiern, das ist was anderes. Sie wollen feiern

wie vor 20, genau genommen eigentlich 30 Jahren. Und dafür geben sie ihr Letztes.

Jetzt sind sie gerade in der AC/DC-Mitsingphase. «Highway to Hell ...» Gott, das müssen ja Tausende sein. Seltsam, dass man, selbst wenn tausend Stuttgarter «Highway to Hell» mitgrölen, immer noch einen Akzent raushören kann. Jetzt klingt es wirklich wie eine Berliner Studentenparty in den 80er Jahren. Ich persönlich war ja eigentlich immer nur wegen der Frauen auf diesen Partys. Die Partys selbst habe ich nie wirklich gemocht. Für mich war das reine Beziehungsarbeit in perspektivischer Form. Auf Partys gehen, Bierflasche nehmen, an den Rand stellen, gucken, interessant aussehen, warten.

Irgendwann, wenn die Party fertig ist, auch Feierabend machen, Bierflasche wegstellen, Übriggebliebene ansprechen, enttäuscht sein, nach Hause gehen. So war das. Bin ich womöglich längere Beziehungen nur eingegangen, um mal 'ne Weile nicht mehr auf diese Partys zu müssen? Könnte was dran sein. Immerhin, mit Anfang 30 ging der Partygänger von damals dann in seinen verdienten Ruhestand und konnte seinen Lebensabend genießen. Aber heute, wo keine Rente, nix mehr sicher ist, da müssen wir eben immer länger arbeiten. Die Auflösung des Generationenvertrages macht offensichtlich auch vor der Freizeitgestaltung nicht halt. Die jungen Leute können die Last der vielen Partys nicht mehr allein tragen, da müssen jetzt auch wir Veteranen ran und wegfeiern, was anliegt, damit das Sozialgefüge Deutschland nicht völlig kollabiert.

Unten dröhnt jetzt ABBA: «Thank you for the music ...» Na schönen Dank auch.

Vielleicht muss man das Konzept dieser ganzen Ü-Partys überdenken. Sie altersmäßig genauer eingrenzen. Eher Zw.-

Partys veranstalten. Zw.-30-u.-40-Partys oder eine Party 33 bis 45, könnte man dann auch themenmäßig was machen: Von Machtergreifung bis Kapitulation, die Geschichte eines Abends. Wär auch interessant, was für ein Publikum so eine Party anziehen würde ...

Hoppla, merke, wie die Dauerbeschallung langsam meine Gedanken vergiftet. Gibt es eigentlich irgendeine Studie über den Zusammenhang zwischen Lärm und Faschismus? Müsste es eigentlich. Gibt doch schließlich 'nen Zusammenhang. Ist Faschismus nicht immer irgendwie laut?

Unten läuft mittlerweile Bots: «Was wollen wir trinken, 7 Tage lang ...» Schlimm, aber andrerseits auch tröstlich. Bots ist immer ein klares Zeichen, dass es die Party nicht mehr lange macht. Wie haben wir früher so schön gesagt:

Wenn aus den Boxen Bots erschallt,

ist meist der Kopp schon zugeknallt.

Vor rund 12 oder 13 Jahren ist mein damaliger Nachbar mal am späten Vormittag, wohl nach langer Nacht, schwer alkoholisiert heimgekommen. Endlich zu Hause, hatte er nichts Besseres zu tun, als Bots aufzulegen, seine Anlage auf volle Lautstärke zu stellen und dann in einen tiefen alkoholkomaseligen Schlaf zu fallen. Damals gab's noch nicht wirklich CDs, die LP jedoch hatte einen Sprung, und zwar genau an der Stelle: Was wollen wir trinken? 7 Tage ... – Was wollen wir trinken? 7 Tage ... Was wollen wir trinken? 7 Tage ... – Was wollen ...

Mein damaliger Nachbar bekam davon nichts mit. Er lag quasi bewusstlos daneben. Viele Stunden lang. Gefühlte Zeit: 7 Tage ... Selbst die Polizei hat sich damals geweigert, sich der Wohnung auf weniger als 50 Meter zu nähern, und stattdessen die Evakuierung unseres und der umliegenden Häuser angeordnet. Erst einer Spezialeinheit aus Hildesheim mit hochmoderner Lärmschutzausrüstung gelang es einige Stunden später, die Wohnung aufzubrechen und den Plattenspieler zu erschießen.

5.30 Uhr. Könnte jetzt eigentlich den ersten Zug nehmen. Wollte ich ja an sich sowieso. Aber dazu muss ich mit meinem Koffer quer durch die Disco, und das ist selbst für einen Mann mittleren Alters wie mich nicht ganz ungefährlich.

Schließlich weiß ich aus eigener schmerzvoller Erfahrung nur zu gut, was in den jetzt noch übrig gebliebenen alleinstehenden Männern auf einer solchen Party um die Uhrzeit vor sich geht. Man leidet längst unter extremen Wahrnehmungsstörungen und ist dazu mal auch außerordentlich verzweifelt. Ab jetzt versucht man es bei allem, aber auch wirklich allem, ab einer lichten Höhe von 1 Meter 50.

Und so ist es auch. Gleich vorne sehe ich zwei von diesen Männern, wie sie sich bemühen, mit ihrem ganzen Restcharme eine der großen Bass-Boxen rumzukriegen. Also gut. Nehme meinen ganzen Mut zusammen, ducke mich auf unter 1,50 Meter runter und schleiche, den Koffer hinter mir schleifend, durch den Saal. Dabei ruf ich laut: «Bamm-Bamm-Bamm-Bamm ...», damit man mich im Zweifelsfall vielleicht doch für eine tanzende Bass-Box hält. Stoße mit meinem Kopf vor den Bauchnabel eines Mannes. Der strahlt mich im Rahmen seiner noch verbliebenen Möglichkeiten an.

«Hähähähää, mir machste nix vor! Hähähää, ich kenn mich aus, hähäää, ich hab geseh'n, wie du dich bewegst, hähäää, ich bin 'nen Netter, hähää, echt, hä, gut, also, was machen wir denn noch mit dem angebrochenen Abend?»

Er ist tatsächlich nicht mal unsympathisch. Bedaure, dass ich ihm nicht helfen kann, sage:

– Tut mir leid, aber is' echt spät geworden. Ich muss nach Hause.

– Hähähähäää …, is doch nich' schlimm, hähää, aber solltest
nich' alleine gehen, hähää, ich bring dich …
– Echt?
– Aber klar, Ehrensache, hähähää …
– Is aber ein ganzes Stück.
– Egal, ich hab Zeit, hähäää …
Hänge seine Hand an meinen Koffer und ziehe ihn quer
durch die Stadt. Während ich am Bahnhof Zeitungen kaufe,
schläft er mir doch noch ein. Hänge seine Hand unauffällig an einen anderen Koffer und steige in den Zug. Hoffe, er
kommt in gute Hände.

Sonntagmorgen, 4.45 Uhr: Ich muss aufstehn. Die nächsten 20 Minuten werde ich nichts anderes denken, als: Warum?

Mein Bruder hat sich bereit erklärt, mich zum Bahnhof in Osnabrück zu fahren. Eine 40-minütige Fahrt. Wir sitzen gerade im Auto, da sagt er auch schon den schlimmen Satz: «So, nu unterhalt mich aber auch, sonst penn ich gleich wieder ein.» Na gut, werd ich ihn eben unterhalten. Ich versuche das Autoradio einzuschalten, aber als meine Hand den Regler erreicht hat, bin ich vom Armanheben so erschöpft, dass ich sofort einschlafe.

Am Bahnhof weckt er mich. Ich entschuldige mich, dass ich mit meiner Hand die ganze Zeit das Radio blockiert hatte, aber er sagt, es sei kein Problem gewesen, ich hätte die komplette Fahrt über im Schlaf vor mich hin gebrabbelt.

Er verabschiedet sich mit einem kernigen: «Von mir erfährt keiner was, und wenn doch, is' ja lange nicht gesagt, dass unser Vater mir glaubt!», und ich besteige den Zug.

6.38 Uhr: Komme in Minden an. Eine Stunde Aufenthalt. Der Bahnhof ist geschlossen. Alles ist geschlossen. Die Idioten wollen mich wirklich eine Stunde auf dem kalten Bahnsteig stehen lassen. Bei minus 15 Grad. Meine Laune ist sehr schlecht. Frage einen Passanten nach einem Frühstückscafé in der Nähe. Er starrt mich an. Ich warte. Er starrt mich immer noch an. Ich zünde mir eine Zigarette an. Er öffnet den Mund, sagt was, nee, war doch bloß Atmen. Die Zigarette ist aufgeraucht. Ich beginne im Kopf Berliner U-Bahnhöfe in alphabethischer Reihenfolge aufzusagen, bin gerade bei Wutzkyallee, als es plötzlich aus ihm herausbricht: «Wie war nochmal die Frage?» Ich lasse ihn stehen und gehe weiter, was er jedoch erst einige Tage später bemerken wird. Vermutlich wird er in den nächsten Jahren in der Stadt als äußerst wunderlich gelten, weil er mal Kontakt mit einem Fremden gehabt hat.

Im Prinzip lässt sich mein Eindruck vom Mindener Bahnhof in einer Begebenheit zusammenfassen. Während der gesamten Stunde Aufenthalt dort musste ich total dringend auf Toilette, bin aber nicht gegangen, weil ich es meinem Urin nicht zumuten wollte, auf diesem Bahnhof verweilen zu müssen. Abschließendes Urteil über den Mindener Bahnhof: Abreißen und Mahnmal errichten! Mit dem Text: Früher war hier mal irgendwas, jetzt isses besser!

7.26 Uhr: Endlich! Der Zug ist da. Dieser Zug weg von hier ist das Erste, was mir an Minden gefällt. Ich verabschiede mich und suche das IC-Bordrestaurant auf. Die freundliche Atmosphäre und der bekannt gute Service der Mitropa-Reisegaststättenunternehmen erscheint mir genau das Richtige, um meine durch Minden angeschlagene Laune wieder aufzupäppeln.

Ich bestelle einen Kaffee und frage die anderen Fahrgäste, ob es sie stört, wenn ich ein wenig vor mich hin singe. Keiner widerspricht, und ich schmettere: «Der Hahn ist tot, der Hahn ist tot.» Nachdem ich es dreimal durchgesungen habe, gehe ich davon aus, dass die Melodie nun bekannt sein müsste, und teile meine Mitreisenden für den Kanon ein. Keiner singt mit.

Ich sage:

– Gut, wenn ihr nicht wollt, ich kann auch anders. Dann schreiben wir eben ein unangekündigtes Überraschungsdiktat.

Ich verteile Zettel und beginne den Diktattext aus dem Kopf zu rezitieren. Es ist eine kurze Abhandlung über Minden. Die

Leute lachen, weil sie Bielefelder sind, schreiben aber nicht mit. Ich denke: Pah, wartet's nur ab. Irgendwann werd ich auch mal am Bahnhof Bielefeld Aufenthalt haben ...

10.48 Uhr: Berlin. Endlich. Wieder zu Hause. Ich halte kurz inne und atme einen tiefen Zug Berliner Luft ein. Ah, dieser Duft von Weltstadt, europäischem Geist und hugenottischem Savoir-vivre. Ich frage einen Passanten nach der Uhrzeit. Er lächelt mich berlinerisch an und sagt:

– Da hängt doch 'ne Uhr, könn Se nich' kieken!

– Aber die Uhr zeigt 2.30 Uhr.

– Na und? Wenn Ihnen die Uhrzeit nicht passt, könn Se ja wieder weiterfahrn. Nörgler könn wa hier nich' brauchen!

Recht hatta. Wozu braucht man in Berlin Uhren? Die Stadt schläft doch sowieso nie. Ein gutes Gefühl, in einer Stadt zu wohnen, die niemals schläft. Da braucht man nicht lange zu diskutieren, wer Wache schieben soll. Da kann man ruhig den ganzen Tag im Bett liegen bleiben, weil, die Stadt ist ja sowieso wach und passt schön auf. Und schon gar nicht muss man um sechs Uhr morgens auf dem Bahnhof stehen und frieren. Und wenn doch, dann, weil man das so will. Und wenn man was fragt, findet sich immer jemand, der sich kümmert und einen anbrüllt. Und man kann sogar zwischen sechs verschiedenen Fernbahnhöfen wählen, wo man am liebsten stehen, frieren und angebrüllt werden möchte. Das ist Freiheit. Und weil man immer noch etwas verbessern kann, wird sogar ein siebter, noch größerer und noch lauterer Fernbahnhof gebaut. Da soll dann aber nochmal einer meckern.

## Stade

Freitagnachmittag. Mein Zug kommt in Stade an. Will noch schnell im Bahnhofskiosk Zigaretten holen. Als ich den Laden betrete, begrüßt mich der Besitzer:
– Moin, Heinz, na, auf Reisen gewesen?
Schaue mich erschrocken um. Außer mir ist niemand im Laden. Antworte schlagfertig:
– Ääääääh …
– Und, zwei Schachteln Camel Filter, wie immer?
– Ääh, ja.
– Und, Heinz, soll ich's anschreiben, wie immer?
– Oh. … Gern.
– Bitte schön, Heinz, denn bis die Tage, ne?
– Ja, bis die Tage.
Gehe verwirrt aus dem Kiosk. Werde dann doch nachdenklich. Beschließe, nochmal zurückzugehen.
– Was is', Heinz, noch was vergessen?
– Äh, ja, äh, na ja, ich hab mir überlegt, ich nehm heut vielleicht doch mal 'ne ganze Stange.
– Jungejunge, der Heinz. Na gut, ich schreib's auf.
Er reicht mir die Stange.
– Schönen Gruß an die Familie!
– Klar.
Ich weiß nicht, wieso, aber Stade gefällt mir irgendwie. Verstaue die Zigaretten und gehe zum Taxistand vor dem Bahnhof. Nehme das erste Taxi, werfe meine Tasche auf die Rückbank, steige ein und beginne, nach der Adresse vom Veranstalter zu kramen.
– Guten Tag, ich möchte gerne nach …
– Mensch, Heinz, ich weiß doch, wo du wohnst.

Das Taxi fährt los. Ich will was sagen.

– Bpffrf …

– Und? Wollte dein Astra wieder nicht anspringen?

– Nein, nein, das ist es nicht, ich …

– Verstehe, Silke brauchte den Wagen. Jaja, so ist das.

– Nein, nein, so ist das eben nicht …

– Ach, Heinz, mir brauchste doch nix zu erzählen.

Beschließe, dass hier jeder Widerstand sinnlos ist, und lasse es geschehen. Irgendwo in der Vorstadt vor einem Einfamilienhaus setzt er mich ab. Ich bedanke mich. Zücke schon ein wenig halbherzig mein Portemonnaie, als er losbrüllt.

– Spinnst du? Da gibste mal einen für aus, dann ist das gut.

– Ja, ich hatte mir schon fast so was gedacht.

Er fährt wieder los. Ich schaue mich Hilfe suchend um. Eine junge Frau kommt aus dem Haus gestürmt, in der Hand ein erstaunlich großes Brotmesser, das lustig in der Frühlingssonne blinkt. Sie schreit mich an:

– Ich glaub's ja nich'. Was willst du denn noch hier?

– Äääh, Silke?

– Na, wer denn wohl sonst. Na, du hast ja Nerven, hier nochmal aufzukreuzen.

– Silke, ich muss dir was erklären.

– Na, da bin ich ja mal gespannt. Denn mal los!!!

Sie steht jetzt direkt vor mir. Bebend vor Zorn. Die Sonnenreflexe von der blitzenden Klinge in ihrer wild fuchtelnden Hand blenden mich. Ich habe ernsthaft Angst und höre mich wie in Trance sagen:

– Ähm, es tut mir leid … es war alles meine Schuld … ich habe nachgedacht. Ich, ääh, weiß, ich kann es nicht mehr ungeschehen machen, aber ich will versuchen, mich zu ändern. Bitte glaube mir, noch nie habe ich etwas so ehrlich gemeint wie das, was ich jetzt sage, glaube mir: Es steht jetzt ein ganz anderer vor dir.

Für einen Moment starrt mich Silke ungläubig an. Dann aber lächelt sie, lässt das Messer fallen und sinkt mir in die Arme. Denke, jetzt ist auch egal, und umarme zurück.

Mittlerweile lebe ich seit gut drei Wochen hier mit Silke in Stade. Mit den Kindern verstehe ich mich bestens, und auch mit der hakenden Gangschaltung vom Astra komme ich immer besser klar. Selbst der Beruf eines Tierarztes ist gar nicht so schwer, wie ich anfangs dachte. Meist sagen mir die Bauern ja immer schon von selbst, was ich verschreiben oder machen soll. Nur eines frage ich mich manchmal: Wo ist eigentlich Heinz?

# 4
# Virtuelles
# Wissen

## Die Karajan-Strategie

### Prolog

Von Herbert von Karajan gibt es eine schöne Anekdote. Am Ende eines großen Konzerts in Berlin widerfuhr ihm und seinen Philharmonikern etwas, das ihnen sonst nur sehr selten, eigentlich nie passierte. Sie versemmelten völlig, aber auch ganz und gar das Finale. Der Takt wurde irgendwie unklar, zwei, drei Einsätze geschmiert. Die Bratschen wussten nicht mehr, wie ihnen geschah. Die Geigen, die längst jeglichen Kontakt zum Restorchester verloren hatten, versuchten Zeit zu gewinnen und geigten zur Überbrückung irgendwelche sinnlosen Soli, während alle anderen nur noch hofften, das Ganze würde schon irgendwann mal, hoffentlich bald, vorbeigehen. Schließlich gaben die Musiker auf, ein Instrument nach dem anderen hörte zu spielen auf, und schleppend, läppernd kam das Konzert zu einem deprimierenden Ende. Kurz: Es war das völlige Desaster. Dann absolute Stille.

Karajan jedoch legte würdevoll seinen Taktstock nieder, ging zügig zu seinem bei den Streichern sitzenden Konzertmeister, umarmte ihn und rief laut und vernehmlich: «Wunderbar! Bravo! Großartig! Ich danke Ihnen!»

Das Publikum wusste zwar nicht, was jetzt eigentlich genau geschehen war. Aber eines stand fest: Wenn es den großen

Herbert von Karajan derart in Ekstase versetzte, dann musste das da gerade schon etwas Außerordentliches, Sensationelles, Gewaltiges gewesen sein.

Prompt löste sich die angespannte Stille in einem gigantischen, orkanartigen, ohrenbetäubenden Beifallssturm auf. Stehende Ovationen, nicht enden wollend, Jubelrufe. Seit ich diese Anekdote kenne, habe ich immer wieder versucht, diese Karajan-Strategie auch in meinem alltäglichen Leben anzuwenden. Aber wann immer ich auch nach einem deprimierenden, quälend schleppend sinnlos ausläppernden Finale, also jetzt zum Beispiel mal beim Liebesakt oder so, hinterher ergriffen ausrief: «Bravo! Bravo! Wunderbar! Ich danke Ihnen!» – es hat nie so funktioniert wie bei Karajan.


Im Restaurant. Ich will bestellen, aber der Kellner rennt recht konsequent an mir vorbei. Dem Mann drei Tische weiter scheint es noch schlechter zu ergehen. Er war wohl schon lange vor mir hier, aber wie's aussieht, hat der Ober ihn bislang nicht mal bemerkt.

Endlich kommt der Ober zu mir. Der Mann jedoch sitzt nach wie vor hilflos, unbemerkt und traurig, schüchtern den Finger hebend, an seinem Tisch. Gebe meine Bestellung auf:

– Einmal die 43 und ein Mineralwasser, bitte.

– Geht klar, die 43 mit oder ohne Fleisch?

– Ääh, die 43 sind die Schweinemedaillons.

– Schon klar. Mit oder ohne Fleisch?

– Äähm, wie's in der Karte steht.

Er greift zur Karte, um sich die 43 anzugucken. Ich nutze die Zeit, um etwas für meinen Leidensgenossen drei Tische weiter zu tun.

– Sagen Sie mal, der Mann dort vorne: Ist das nicht Ludger Mahrmann?

– Wer?

– Ludger Mahrmann. Doch, doch, das isser. Der große Ludger Mahrmann. Kenn Se nich?

– Warum?

– Na Ludger Mahrmann. Äääh, berühmter Maler, internationale Ausstellungen, unzählige Preise. Der Mann gilt als Genie, soll aber sehr schüchtern und bescheiden sein. Mensch, dass der hierher zum Essen kommt, Sie müssen wirklich gut sein. Der Kellner schaut jetzt interessiert zum Nebentisch. In seinem Kopf beginnt es zu arbeiten.

– Ludger Mahrmann, Ludger Mahrmann, nee, warten Se mal, ich glaub, den Namen hab ich schon mal gehört.

– Unglaublich, Mensch, da geht man essen, nix Böses ahnend, und dann sitzt da Ludger Mahrmann, einfach so. Det is' Berlin.

Ich lache zum Kellner, aber der nimmt mich schon längst nicht mehr wahr. Voller Ehrfurcht und gebannt schaut er jetzt auf den schüchternen Mann drei Tische weiter. Der freut sich, weil er das Gefühl hat, sein beständiges Winken habe jetzt doch noch Erfolg gehabt. Noch ahnt er nicht, dass für ihn nun ein völlig neues Leben beginnen wird.

Zwei Minuten später wimmeln drei Kellner um den vermeintlichen Ludger Mahrmann. Er ist an den besten Tisch gebeten worden. Der Vorinhaber dieses Tisches sitzt jetzt etwas missmutig neben der Toilette. Vor Mahrmann prickelt ein Glas Sekt vom Haus. Einer der Kellner erläutert ihm die Karte. Mahrmann selbst wirkt zwar noch ein wenig irritiert, scheint sich aber mehr und mehr mit der Situation anzufreunden.

Drei Tage später komme ich erneut in das Restaurant. Mahrmann ist auch wieder da und thront an seinem geschmückten Tisch. An der Wand hängt ein signiertes Foto von ihm. Der Kellner berichtet mir stolz:

– Herrn Mahrmann scheint es sehr gut bei uns zu gefallen. Er ist jetzt praktisch jeden Tag hier!

Ich nicke lächelnd und bestelle von der Sonderkarte ein Spezialmenü «Ludger Mahrmann».

Der Kellner weiß mittlerweile auch weitere Details aus Mahrmanns Leben.

– Mensch, wer hätte das gedacht. Der berühmte Ludger Mahrmann lebt hier einfach bescheiden und anonym mitten unter uns. Entwickelt sogar, um unerkannt zu bleiben, eine komplette Scheinidentität als frühpensionierter Postbote Egon Kozonnek. Wir hatten ja keine Ahnung.

Tatsächlich muss ich in den nächsten Tagen bemerken, dass Mahrmann oder Kozonnek sein Leben in der Anonymität nun allerdings beendet hat. Der Kiosk an der Ecke bietet mittlerweile originale, unveröffentlichte Zeichnungen von Ludger Mahrmann an. Naive, fast krakelige Kohleskizzen, die sich alle irgendwie mit dem Alltag der Postzustellung befassen. Die Bäckerei offeriert Kuchenteilchen, die sie «Originale Mahrmänner» nennt – ein irgendwie etwas surreales Backwerk, das aussieht wie der Blaue Reiter und schmeckt wie Guernica.

Mahrmann, durch verkaufte Zeichnungen und Backwerklizenzgebühren zu einem gewissen Reichtum gekommen, hat sich mittlerweile entschlossen, auch äußerlich seiner herausragenden künstlerischen Stellung zu entsprechen. Mit Baskenmütze, langem Wollschal und wehendem Mantel flaniert er durchs Viertel und treibt Tantiemen ein. Sein spanisch-französischer Akzent wirkt zwar noch etwas holprig, aber egal. Er genießt es, dass mittlerweile vor allem die Frauen des Viertels bei ihm Schlange stehen, um sich einmal vom großen Mahrmann porträtieren zu lassen. Dabei macht es den Frauen offensichtlich gar nichts, dass sie in den Augen des

Künstlers immer zu krakeligen Kohlestrichmännchen beim Zustellversuch oder beim Postsortieren werden.

Ich verfolge amüsiert und auch ein wenig stolz das ganze Geschehen, bis ich eines Nachts einen verhängnisvollen Fehler mache. In der Kneipe an der Ecke nach dem vierzehnten Bier reitet mich plötzlich der Teufel, und ich beginne damit zu prahlen, wie ich mir diesen ganzen Ludger Mahrmann nur ausgedacht habe. Dass es diesen großen Künstler gar nicht gibt und ich nur wollte, dass er sein Essen bekommt. Eine ganze Weile redet es einfach so aus mir raus, weshalb ich gar nicht bemerke, wie die anderen Gäste immer ärgerlicher werden. Irgendwann beginnen sie mit mir zu schimpfen, dann zu schreien, schließlich zu bellen, bis sie mich endlich greifen und rauswerfen.

Am nächsten Morgen oder vielleicht auch Mittag werde ich durch lautes Getrommel an meiner Wohnungstür geweckt. Ich öffne und sehe zwei sehr große Männer. Einer von beiden murmelt mir mit heiserer Stimme entgegen, dass er gern einmal mit mir über meine vermeintlichen Informationen über Ludger Mahrmann reden würde. Dann knackt der andere sehr laut mit seinen Fingerknöcheln. Ich schlage die Tür zu und verriegele sie dreifach.

Den Rest des Tages verbringe ich in der Wohnung. Erst am späten Abend wage ich mich im Schutze der Dunkelheit zum Restaurant, wo alles begonnen hatte. Dort gibt es einen Kellner, der die ganze Geschichte kennt. Er ist mein Zeuge, er muss mir helfen.

Es ist, als ob der Kellner mich schon erwartet hätte. Schnell führt er mich ins Hinterzimmer, wo Mahrmann schon auf mich wartet. Die beiden sehr großen Männer sind auch da. Mahrmann bietet mir einen Stuhl an und beginnt sofort zu reden:

– Mein lieber Freund. Wir alle hier wissen, was du getan hast, was die Wahrheit ist.

Die beiden Männer und der Kellner nicken. Dann blicken sie auffordernd zu mir. Geistesgegenwärtig nicke ich auch. Mahrmann fährt fort:

– Wahrheit ist wichtig. Nur in der Wahrheit fühlen die Menschen sich wohl. Gibt man ihnen das Gefühl, in der Lüge zu leben, werden sie unzufrieden.

Das Nicken der anderen wird heftiger. Ich nicke kräftig mit.

– Was aber ist Wahrheit?

Alle zucken die Schultern. Also auch ich.

– Wahrheit ist das, was wir als solche definieren. Definieren wir die Wahrheit um, erhalten wir eine neue Realität.

Mahrmann macht eine ausladende Handbewegung. Alle lächeln, und ich verstehe. Mahrmann ist verrückt geworden. Nicht schlimm verrückt, nur so ein bisschen verrückt. Eben so viel verrückt, wie halt Menschen sind, die vielleicht alle drei Matrix-Teile gesehen haben, während der langatmigen Erklärungssequenzen weggedöst sind und sich dann im Halbschlaf so viel aus dem zusammengeschusterten und -geklauten Matrix-Philosophiebrei abgreifen, wie sie für ihre eigene Psychose brauchen. Doch Mahrmann glüht längst vor Erleuchtung.

– Wenn wir jetzt also eine Lüge haben, in der sich die Menschen wohlfühlen, ist es dann nicht das Beste, aus der Lüge Wahrheit zu machen, um so eine bessere Welt zu erhalten?

Alle starren mich an. Ich muss antworten, also sage ich:

– Die einen sagen so, die andern so.

Mahrmann wird ärgerlich.

– Eine funktionierende Lüge ist allemal besser als eine deprimierende Wahrheit. Aber kein Mensch mag ewig in der Lüge leben. Also müssen wir die Lüge zur Wahrheit machen. Das ist Fortschritt.

– Sie wollen also so weitermachen?

– Natürlich, ich muss. Ich würde sonst viele Menschen unglücklich machen.

– Also gut. Tausend.

– Was?

– Tausend Euro. Dann können alle glücklich bleiben, insbesondere auch ich.

Alle schauen mich sehr streng an. Ich schaue streng zurück. Mahrmann zischt:

– Es geht hier doch nicht um Geld, es geht um Zufriedenheit.

– Die Grenze zwischen Zufriedenheit und Geld ist für mich fließend.

Mahrmann macht eine ärgerliche Handbewegung. Ich werde von den beiden Männern rausgeführt.

Am nächsten Tag finde ich 500 Euro in meinem Briefkasten. Immerhin.

Mahrmanns Ruhm hält noch ungefähr ein halbes Jahr an. Dann kommt es zu einer mittelprächtig erfolgreichen Ausstellung. Er wird als richtiger Künstler anerkannt, woraufhin er standesgemäß in eine Schaffenskrise gerät und irgendwann nicht mehr malen kann.

Ich jedoch freue mich über eine neu erschlossene Verdienstmöglichkeit. Immer wieder reise ich seitdem in andere Bezirke oder Städte, erschaffe dort einen neuen berühmten Maler, Schriftsteller oder Philosophen und schaue dann ein Dreivierteljahr später nochmal vorbei, was aus meiner Erfindung geworden ist. Man kann mich übrigens auch mieten. So ein bisschen lässt sich die Karajan-Strategie im alltäglichen Leben doch umsetzen.

# Gott klingelt

Nach bislang unbestätigten Informationen aus Börsenkreisen planen verschiedene große Telekommunikationsunternehmen die Fusion mit einigen großen Religionsgemeinschaften.

Speziell die Glaubensgemeinschaft der Zeugen Jehovas wird – wegen ihres großen und effektiven Haustürberatungsnetzes – stark von den Kommunikationsunternehmen umworben. Erste Tests in Berlin sind sehr erfolgreich verlaufen.

Es klingelt. Ich öffne die Tür. Davor ein Mann, er redet.

– Guten Tag, ich bin Ihr Gebietsbeauftragter Kommunikation. Haben Sie einen Moment Zeit?

– Äääh, nein?

– Ich bin beauftragt, mit Ihnen über Ihre Telefonrechnung zu sprechen.

– Von wem beauftragt?

– Gott!

– Gott interessiert sich für meine Telefonrechnung?

– Gott interessiert sich für alles.

– Warum?

– Womöglich zahlen Sie zu viel.

– Und das stört Gott?

– Gott hat diese Welt, die Menschheit, die ganze Schöpfung und überhaupt alles nicht geschaffen, damit Sie heute zu hohe Telefonrechnungen bezahlen. Er ist nicht mehr länger bereit, diesen Missstand hinzunehmen.

– Ach so. Und hat Gott denn keine anderen Probleme als meine Telefonrechnung?

– Natürlich, deshalb hat er ja auch mich und die Firma Arcor beauftragt.

– Verstehe, na, denn kommen Se mal rein.

# Das Berlin-Konklave

An irgendeinem Dienstagnachmittag in naher Zukunft in Berlin-Wedding. Im Euler-Eck am Gesundbrunnen tagt das Konklave und wählt einen neuen Harald Juhnke. Es ist der zweite Tag, und Tausende von Journalisten aus ganz Berlin warten gespannt, ob es heute bereits eine Entscheidung gibt. Die 115 Erzoriginale Berlins haben sich schon seit über sechs Stunden im Euler-Eck versammelt, um einen neuen Stellvertreter Zilles zu wählen.

Gebannt schaut alles auf die Kneipentür. Wenn der Schauspieler im brennenden Berliner Bärenkostüm aus der Kneipe rauskommt und der Rauch färbt sich dunkel, heißt das, die Originale haben sich noch nicht einigen können. Färbt sich der Rauch allerdings weiß, dann ist es so weit, dann haben wir einen Nachfolger für Harald Juhnke.

Millionen von Berlingläubigen warten bereits seit Stunden auf dem Leopoldplatz, in der Hoffnung, schon heute ein neues Oberhaupt des Berliner Originalwesens begrüßen zu können. Hier wird er dann vom obersten Parkdeck des Karstadt Leopoldplatz zum ersten Mal zu den Menschen, zu seinen Berlinern sprechen.

Doch da tut sich was am Euler-Eck. Die Tür geht auf. Der Berliner Bär kommt raus und ... er brennt, jawohl, er brennt lichterloh! Doch welche Farbe hat der Rauch? Unsicherheit macht sich breit. Ist er weiß? Man kann es nicht genau sagen. Spannungsvolle Stille. Doch da beginnen die Altglascontainer rund um den Leopoldplatz zu scheppern. Das entscheidende Zeichen. Wir haben ein neues Berliner Oberoriginal. Welche Freude!!! Die Menschenmassen auf dem Leopoldplatz hüpfen jubelnd auf und ab.

Doch wer wird es sein? Seit Tagen schon geistern die Namen unzähliger Favoriten durch die Berliner Gazetten. Ben Becker, Rolf Eden, selbst Udo Walz wurde genannt. Andere plädierten endlich für eine Frau im Amt von Berlins wichtigstem Herz mit Schnauze. Edith Hanke oder Brigitte Grothum vielleicht. Wenn es einer von beiden gelänge, alle Stimmen der mächtigen Ku'damm-Boulevard-Humor-Fraktion auf sich zu vereinigen, könnte es gelingen. Andere wünschten sich mal eine internationale Lösung. Warum nicht Gayle Tufts oder Marcelinho? Und schließlich gab es noch die Befürworter eines sanften Übergangsoriginals. Jemand, mit dem sich wirklich alle Berliner und Berlinerinnen identifizieren könnten. Yan-Yan aus dem Berliner Zoo zum Beispiel.

Auch auf dem Leopoldplatz wird wild spekuliert, während die Prozession der Originale mit dem 247er-Bus vom Gesundbrunnen zum Leopoldplatz unterwegs ist. Dann endlich ist es so weit. Martin Semmelrogge, der ehrwürdige Sprecher des Berliner-Herz-mit-Schnauze-Originale-Konklaves, tritt auf dem obersten Parkdeck des Karstadt Leopoldplatz vor die Milliarden von Berlingläubigen und spricht zu ihnen:

– Soo, jetzt haltet erstma alle die Fresse.

Die begeisterte Menge jubelt ihm zu.

– Verdammte Scheiße, ihr sollt die Fresse halten!

Die Berlingläubigen geraten außer sich vor Ekstase.

– Mann, Scheiße, so wird dit nüscht. Aber mir doch ejal. Macht doch, wat ihr wollt. Also jut. Habemus Berlinum Originalum!

Dit neue Oberhaupt des Berliner Orjinalswesens ist:

Plötzlich atemlose Stille.

– Na also, jeht doch. Dit neue Oberorjinal ist: Graciano Rocchigiani!

Getuschel. Wat hatta jesacht?

– Habta Watte inne Ohren, oder wat? Graciano Rocchigiani hab ick jesacht!!!

Die Menge zuckt einmal kurz mit den Schultern. Dann bricht sie in ohrenbetäubenden Jubel aus. Also doch ein Hardliner. Es ist der olle «Gratze», warum auch nicht? Dann tritt das neue Berliner Oberoriginal «Gratzi I.» vor. Er sieht sehr glücklich aus.

– Also jut, ooch ick bin nur 'n einfacha Arbeita im Ring von Berlin. Aber wenn mir eena blöde kommt, denn wirda schon sehen …

Die Menge ist außer sich vor Stolz und Freude. Gratzi I. hat offensichtlich genau die richtigen Worte gefunden, um die Herzen der Berliner direkt und im Sturm zu erobern. Berlin, nun freue dich!!!

# Jeder hilft Berlin

Als ich aus dem U-Bahnhof Mehringdamm komme, unterhalten sich vor mir zwei Schüler aus Westdeutschland. «So, das ist jetzt also das berühmte Kreuzberg. Schon imposant.»
Ich will sie gerade fragen, was denn bitte schön ausgerechnet an der Kreuzung Mehringdamm/Ecke Yorckstraße imposant sein soll, da mischt sich ein Passant von hinten ein:
– Neenee, das hier is' dis bürgerliche Kreuzberg. Das berühmte Kreuzberg gibt's nich mehr. Hammse alles abgerissen. Steht jetzt der Potsdamer Platz drauf.
– Ach, und hier das Rauch-Haus und Mariannenplatz und so?
– Alles abgerissen.
Die Schüler schauen Hilfe suchend zu mir. Ich denke: «Was soll's?», und nicke:
«Hmmm, alles abgerissen.»
Die beiden sind erschüttert, aber interessiert. Jetzt greift der Passant die Hand eines der Jungen und führt beide ein Stück die Straße runter:
«Und hier», er zeigt auf den 50er-Jahre-Bau, «da hat er gewohnt. «
«Wer?»
Der Mann beugt sich tief zu ihnen herunter.
«Goebbels.»
«Was, der hat hier in Kreuzberg gewohnt?»
«Na klar, von hier hatte er es ja nich' weit zum Sportpalast, wo er jeden Tag seine Reden gehalten hat.»
Ich bin mir zwar nicht ganz sicher, ob der Mann jetzt ein Spaßvogel oder ein Bekloppter ist, aber das tut ja auch nichts

zur Sache. Irgendwie gefällt mir sein Spiel. Er legt schon wieder nach:

«Und zwei Stockwerke drüber», immer noch zeigt er auf den 50er-Jahre-Bau, «hat Alfred Schiertz die erste Heftklammer Europas erfunden. 1873. «

Wunderbar, jetzt will ich mich aber auch einbringen: «Hmmm, damals waren die Heftklammern ja noch so groß wie DIN-A4-Blätter, aber durch den Fortschritt der Technik und neuartige Metalllegierungen konnte Schiertz dann seine Erfindung immer weiter verfeinern, bis er schließlich zu der kleinen Heftklammer kam, die wir noch heute schätzen und benutzen.»

Der Mann schaut mich erbost an:

«Quatsch! So 'n Blödsinn. Mannmannmann, in dieser Stadt laufen einfach zu viele Spinner rum.» Er geht verärgert weg. Die beiden Jungs laufen ihm nach.

Schade, hätte ihm gerne weiter zugehört. Und zumindest mit den Spinnern hat er ja auch recht. Es heißt, eine normale Großstadt kann auf immerhin 1000 Einwohner einen Idioten vertragen. Dann ist gut und ausgewogen. Meist pegelt sich das auch für jede Stadt in etwa auf diesem Level ein. In Berlin jedoch ist durch das Metropolengeschwafel vor einigen Jahren und erst recht den Hauptstadtumzug der Idiotenanteil in der Stadt aufs Unnatürlichste angeschwollen. Und jeder kann sehen, was dabei rauskommt.

Zwei Tage später, am Nollendorfplatz, treffe ich den vermeintlichen Historiker wieder. Diesmal warte ich geduldig, bis er zwei australischen Touristen erklärt hat, wie Magnus Stiehl 1865 im Eckhaus den Radiergummi erfand. Nachdem die beiden Berlinbesucher weitergegangen sind, spricht er mich an.

«Hallo, entschuldige den rüden Ton von neulich, aber weißte, du hast zu dick aufgetragen. So hilfst du der Stadt nicht. Und darum geht es doch. Ich hab mir echt lange überlegt, wie ich Berlin in dieser Situation helfen kann, so pleite und hilflos, wie es ist. Und weil ich Geld in dem Sinne ja nicht habe, erzähl ich eben Besuchern Geschichten. Solche Geschichten.»

Ich lüge: «Ach so, verstehe. Und das hilft Berlin?»

Er zuckt die Schultern.

«Weiß nicht, vielleicht. Zumindest macht's Spaß. Früher hatte ich auch Geschichten mit Schauspielern, Schriftstellern oder bildenden Künstlern, aber Erfinder und erst recht Nazis kommen irgendwie besser an. Weiß auch nicht, wieso. Kann man nix machen. Die Menschen sind komisch.»

Ich nicke: «Ja, die Menschen sind komisch.»

## Berliner Idyll 2

Am Morgen des 14. März war Heinrich Pallmann etwas albern zumute. Nachdem er aufgestanden war und sich angezogen hatte, stellte er den Wecker seiner Frau um zwei Stunden vor, weit über ihre normale Weckzeit hinaus, um sie dann gleich aufgeregt zu wecken: Ob sie denn nicht zur Arbeit müsse, es sei schon nach 9.00 Uhr, sie komme doch viel zu spät ins Büro!

Ingrid Pallmann erschrak beim Blick auf den Wecker, sprang aus dem Bett, rannte sofort planlos und hektisch durch die Wohnung, griff wahllos nach jedem herumliegenden Kleidungsstück, versuchte diese im Laufen irgendwie über ihren Körper zu bugsieren und rief dabei mit sich überschlagender Stimme unablässig: «O Gott, o Gott, das kann doch nicht sein, o Gott, der Wecker hat nicht funktioniert, o Gott, oder ich habe ihn nicht gehört, o Gott! O Gott!»

Dann fiel sie beim Versuch, im Laufen eine Strumpfhose anzuziehen, in den Altpapierstapel.

Heinrich Pallmann lächelte. Er mochte es, wenn seine Frau so völlig aufgelöst und hektisch war. In diesen Momenten war sie für ihn noch schöner als sonst schon. So jung, so lebendig, so liebenswert!

«Hilf mir mal, du Arsch!!!», brüllte sie ihn an, als sie, in der Zimmerpflanze verheddert, mit dem BH kämpfte, und Heinrich verliebte sich direkt zum wahrscheinlich 183. Mal aufs Neue in seine Frau.

Auch nach weit über 20 Jahren war ihre Liebe immer noch frisch. Nicht zuletzt auch aufgrund der vielen kleinen Neckereien, mit denen sie sich ihren Alltag versüßten. Wenngleich diese zeitweise auch schon mal ein wenig aus dem Ruder liefen.

Was mal mit Zahnpasta in den Schuhen oder Salatsauce in der Shampooflasche angefangen hatte, war irgendwann ausgeartet zu Abführmitteln in den Rühreiern, Cayennepfeffer in der Frühstücksmarmelade oder kleinen, lebenden Tieren in den Büroaktentaschen. Während er es liebte, wenn sie von der Arbeit krankgemeldet zu Hause lag, mal eben im Büro anzurufen und nach ihr zu fragen, hatte sie großen Spaß daran, im Frühling, bei offenem Fenster, fröhlich, ansatzlos und sehr laut durch den Innenhof zu rufen: «Verdammt, Heinrich, räum gefälligst die Windeln und den Schnuller weg, wenn du mit deinen Rollenspielen fertig bist!»

Diese kleinen Späße entfremdeten sie immer mehr von ihrer Umwelt, schweißten sie aber auch umso inniger aneinander, je mehr ihre gesellschaftliche Isolation wuchs. Lebensmittelvergiftungen, Haushaltsunfälle, fristlose Kündigungen – die Menge der gemeinsamen, unvergesslichen, einmaligen Erlebnisse, sie wuchs von Jahr zu Jahr. Einen gewissen Höhepunkt erreichten sie vor einigen Jahren, als Heinrich Ingrids Unterlagen aus dem Architekturbüro, in dem sie damals arbeitete, vertauscht hatte. Genau ging es um zwei Ausschreibungen für ein Heizkraftwerk irgendwo in Ungarn und für ein Bürogebäude am Potsdamer Platz. Tatsächlich führte Heinrichs kleiner Streich dazu, dass heute auf dem Potsdamer Platz dieses sehr an ein Heizkraftwerk erinnernde Bürogebäude steht, während man sich irgendwo in Ungarn über ein architektonisch äußerst anspruchsvolles Heizkraftwerk freut.

«Wieso hast du mich nicht geweckt, du dumme Sau? Na ja, jetzt auch egal. Tschüs, Schatz!» Ingrid stürmte aus der Wohnung. Verliebt schaute Heinrich seiner fluchend und polternd durchs Treppenhaus scheppernden Frau hinterher. Schon bald würde sie seine kleine Verlade bemerken. Sicher würde die Rache nicht lange auf sich warten lassen. Heinrich freute sich schon darauf. Bestimmt würde sich Ingrid etwas ganz Wunderbares einfallen lassen. Immerhin hatte sie ja jetzt fast zwei Stunden unverhoffte Freizeit dafür.

## Freiheitsberaubung

Meine Lieblingszeitungsmeldung aus dem letzten Jahr ging um einen Mann, der am Heiligabend mit der Bahn gestrandet ist und für mehrere Stunden auf einem kleinen Bahnhof in der Nähe von Braunschweig festhing. Nach ungefähr drei Stunden hat er entnervt bei der Polizei angerufen und wollte eine Anzeige wegen Freiheitsberaubung aufgeben. So weit, so üblich. Wirklich schön allerdings war die Antwort der Polizei. Die hat ihm dann nämlich gesagt: «Anzeige wegen Freiheitsberaubung geht telefonisch nicht, da müssten Sie schon persönlich vorbeikommen.»

Das hätte ich der Braunschweiger Polizei so niemals zugetraut. Es gibt doch noch richtige Weihnachtsgeschichten.

## Arbeitsplatten machen Arbeit

Als ich in den U-Bahnhof Möckernbrücke komme, sehe ich einen jungen Mann vor einem dieser neuen BVG-Automaten stehen. Er starrt reichlich ratlos auf den kundenfreundlichen Bildschirm. Spreche ihn an:

– Wo musstn hin?

– Ich versteh das nicht.

– Ich weiß, aber wo musstn hin?

– Grad hat mich dieser Bildschirm gefragt, ob ich eine Gruppe bin. Bin ich eine Gruppe?

– Hm, interessante Frage, lass mal durchzählen.

– Gute Idee. Eins. Nee, bin nur einer. Ich muss zum Hermannplatz.

– Das trifft sich, da kann ich dich mitnehmen, ich bin Premium.

– Angenehm, ich heiße Klaus. Hilfst du mir, 'ne Karte zu ziehen, Premium?

Ich erkläre ihm das Kastensystem des Berliner Nahverkehrs und warum ich mit meiner Karte jemanden am Wochenende umsonst mitnehmen darf. Er ist begeistert. In der U-Bahn frage ich ihn, woher er kommt.

– Na ja, wenn du Berliner Premium bist, bin ich praktisch Beck's Export.

Verstehe ihn, ich war auch jahrelang Beck's Export. Am Hermannplatz fragt mich Klaus, wann ich wieder zurückfahre.

– Na, halbe Stunde, schätz ich.

– Super, länger brauch ich auch nicht. Dann können wir uns ja vielleicht hier verabreden, und du nimmst mich wieder mit zurück.

Ich sage: Warum nicht.

Klaus strahlt, öffnet seine Tasche und holt eins von insgesamt fünf oder sechs Handys heraus.

– Hier, nimm das, falls was is'. Hat so 'ne arabische Melodie, is' ganz lustig. Meine Nummer ist, deine Nummer ist. Dann verschwindet er in der Menge.

Zwei Minuten später ruft er das erste Mal an:

– Hallo, Premium, wollte nur gucken, ob alles funktioniert.

– Ich heiße nicht …

Er legt auf. Weitere zwei Minuten später klingelt das Handy erneut.

– Hi, wollte nur mal fragen, wie's dir so geht …

Bekomme langsam ein mulmiges Gefühl.

Bis ich den Elektrogroßmarkt erreiche, ruft Klaus noch dreimal an, um sich nach meinem Wohlbefinden zu erkundigen. Jedes Mal mit dem lustigen Salam-alaikum-Klingeln. Kriege ernsthaft Angst. Werfe das geliehene Handy in den Mülleimer am Eingang und beschließe, für die Rückfahrt zum U-Bahnhof Südstern zu laufen. Im Baumarkt sind massive Buchenholzarbeitsplatten im Angebot. 3 Meter 20 mal einen Meter für 35 Euro. Ganz egal, wie viel das in Mark ist, das ist bestimmt günstig. Gehe zum Fachverkäufer und verlange ein 1 Meter 20 langes Stück. Er sagt, das geht nicht: Weil es ein Sonderangebot ist, gibt es keinen Teilverkauf, man muss die ganze Platte kaufen. Verziehe irritiert das Gesicht. Er muntert mich auf: «Wenn Se nur ein Lied vonner CD wollen, müssen Sie ja auch die ganze CD kaufen, höhö! «

Na ja, so lacht der Baumarktfachverkäufer.

«Zuschneiden kann ich Ihnen die Platte aber!» Bezahle die Platte und lasse sie mir in zwei Teile à 1,20 Meter und 2 Meter schneiden. Stelle mich dann in den Baumarkt und rufe: «Eins-a-Buchenholzarbeitsplatte 2 Meter mal 1 Meter, frisch zugeschnitten, nur 34 Euro! Greifen Sie zu!!!» Ein anderer

Mitarbeiter kommt und untersagt mir mein Subunternehmertum. Zerre dann beide Platten aus dem Baumarkt.

Als ich den Mülleimer am Eingang erreiche, sehe ich, dass der mittlerweile recht weiträumig vom Wachschutz abgesperrt ist. Zwei Wachleute halten den Mülleimer zusätzlich mit der Waffe in Schach.

Frage einen anderen Wachschutzmann, was los ist.

– Da kommt ständig so 'ne arabische Melodie aus dem Mülleimer geklingelt. Immer im Abstand von genau zwei Minuten. Aber keine Angst, wir haben schon ein Sprengstoffsonderkommando angefordert, muss jeden Moment hier sein. Die Geschäftsleitung berät gerade, ob sie das Gebäude evakuieren soll. Dit wird 'n teurer Spaß.

Mir wird schlecht.

Höre, wie ein anderer Wachschutzmann, eine Art Chef wohl, einigen Reportern mitteilt, dass man noch nichts Genaues wisse, aber es gebe starke Indizien, die auf eine Verbindung des Mülleimers zum Terrornetzwerk der al-Qaida, vielleicht sogar in den Irak hindeuten. Dann trifft das Sprengstoffsonderkommando ein. Schnell haben sie den Papierkorb durchsucht und das Handy gefunden. Einer der Männer geht ran, hört kurz zu, dann fragt er: «Heißt hier einer Premium?»

Ich beschließe, dass ich jetzt mal weiter muss. Zerre die Platten zur Straße. Massives Buchenholz ist sehr, sehr schwer. Ich kann unmöglich beide Platten gleichzeitig tragen. An der Straße winke ich nach einem Taxi, aber jedes Mal, wenn die Fahrer die zwei Meter lange Arbeitsplatte sehen, geben sie nochmal Gas. Dann zur U-Bahn, aber Mist, am Hermannplatz steht Klaus. Also zum Südstern. O Gott. Wähle die Etappentaktik. Trage immer eine Platte zehn Meter, stelle sie dann ab. Hole die andere Platte nach, trage dann wieder eine Platte voraus und so weiter und so fort ... Bis zum Südstern.

Das kann ein langer Abend werden. Habe gerade die große Platte abgesetzt und bin schon wieder zehn Meter zurück, um die kleine nachzuholen, da schnappt sich ein junger Mann die große Platte und rennt damit weg. Greife mir die Kleine und renne ihm hinterher. Wobei, rennen ist schon etwas übertrieben. Tatsächlich bewegen wir uns, wegen der schweren Platten, ziemlich langsam. Es entsteht eine recht skurrile Verfolgungsjagd. Nicht so rasend, hektisch und atemberaubend wie in «Blues Brothers» oder «French Connection», sondern mehr so wie aus einem Wim-Wenders-Film, also wenn Wim Wenders Verfolgungsjagden machen würde. Ganz ruhig, langsam schleppend und keuchend jagen wir hintereinander her. Ab und zu rufe ich der Form halber mal:
«Stehen bleiben!» oder «Haltet den Dieb!», aber niemand beachtet uns. Da ich die kleinere Platte habe, kann ich den Rückstand tatsächlich verkürzen. Na guck, was so ein alter D-Jugend-Fußballer ist, dem läuft so 'n junger Spund so schnell nicht weg. Immer kleiner wird der Abstand, dann sind es nur noch zwei, drei Meter, fast hab ich ihn, da fällt mir plötzlich auf, dass er ja in die für mich richtige Richtung läuft. Lasse mich wieder zurückfallen. Rufe ihm noch zu: «Musst gar nicht so schnell, ich kann auch schon fast nicht mehr!», und freue mich fortan über jeden Meter, den er mir die Platte trägt.
Rund 200 Meter vorm Südstern, vor einer Bäckerei, bricht er dann doch zusammen. Ich laufe zu ihm auf. «Okay, du hast mich, hier ist deine Scheißplatte!» Will ihn aufmuntern: «Ach was, ich bin auch fix und fertig, komm, du schaffst es, halte noch 200 Meter durch!»
Er wirft sich flach auf den Boden. Hole aus der Bäckerei zwei Pfannkuchen und heißen Kakao, um ihn etwas aufzupäppeln.

Er stopft das Zeug in sich rein, weigert sich aber beharrlich, mich anständig weiterzubestehlen. Dann geht er einfach weg.

Frechheit.

Trage wieder eine Platte voraus und warte, bis mich der Nächste bestiehlt. Nichts passiert. Vielleicht keine gute Ecke zum Beklautwerden. Ob ich mit den Platten in die Hasenheide sollte, den Park gleich nebenan? Schaffe sie dahin. Doch auch da: Nix!

Mist, Berlin ist auch nicht mehr, was es einmal war. Irgendwann gegen Einbruch der Dunkelheit döse ich auf einer Parkbank weg. Als mich die Vögel am nächsten Morgen wecken, stapeln sich neben meiner Platte ca. 10 Kubikmeter Sperrmüll. Na, da soll noch einer sagen, in Berlin kriegste nichts geschenkt.

# 5
# Selbst gemachtes Wissen

## Mehr vom Tag

Dienstagvormittag. Stehe nur in T-Shirt und Unterhose in der Wohnung meines Nachbarn und putze die Fenster. Warum tue ich das? Wie konnte es nur so weit kommen? Kurz zusammengefasst könnte man sagen: Gibt so Tage. Tatsächlich jedoch war die Geschichte etwas komplizierter.

Dienstagmorgen, 6.13 Uhr. Das Telefon klingelt. Ich schrecke auf, greife zum Wasserglas neben dem Bett, nehme einen Schluck, reiße mir den Hörer ans Ohr und versuche, mich so freundlich, wie ich um diese Zeit nur kann, zu melden:

– Bäääahrr.

Nur ein Blubbern in der Leitung. Spüre, wie mir das kalte Wasser aus dem überlaufenden Ohr über Schulter, Brust, T-Shirt und Unterhose läuft. Mache das Licht an. Auf dem Nachttisch liegt der angesabberte Telefonhörer. Das mittlerweile leere Wasserglas, das ich mir immer noch ans rechte Ohr halte, macht mir gleich schlechte Laune. Führe das Telefon zum linken Ohr und versuche es nochmal:

– Bääahhrr?

– Einen wunderschönen guten Morgen! Mit wem spreche ich?

– Häh?

– Bitte?

– Warum wollen Sie das wissen?

– Na, weil alle unsere Hörer doch wissen möchten, wer gleich 500 Euro gewinnen kann, weil er mir den Sender nennt, der ihn jeden Morgen mit dem besten und witzigsten Frühstücksradio der Stadt so wunderbar weckt.

– Ach so. Na, na, ich heiße …, na, ich …

Verdammt. Vor 8 Uhr morgens kann ich mich nie an meinen Namen erinnern. Wie oft bin ich schon aus irgendeinem Grund gegen 7 aufgewacht und hab dann stundenlang überlegt, wer ich wohl sein könnte. Der Wohnungseigner? Ein Gast? Ein Einbrecher, der während des Einbruchs überraschend eingeschlafen ist? Oder womöglich nur ein Haustier? Hund, Katze, Hamster oder so was. Das wäre mir eigentlich das Liebste gewesen, denn dann würde ich ja wohl gleich gefüttert werden. Super!

War aber nie. Spätestens um 10 musste ich dann immer wegen Durst aufstehen. Deshalb hab ich jetzt auch ein Wasserglas neben dem Bett stehen. Dann kann ich länger denken, ich bin nur das Haustier, und der drohende Tag verliert seinen Schrecken.

Aber jetzt brauche ich Informationen zu meinem Namen. Renne mit dem schnurlosen Hörer aus der Wohnung und schaue auf mein selbst gemachtes Klingelschild.

– Eppers. Ich heiße Hobst Eppers oder so ähnlich, weiß auch nicht …

Mist, meine Handschrift ist wirklich kaum zu entziffern.

– Schön, Herr Eppers, heute ist Ihr Glückstag.

– Glückstag? Echt? Juhu, ich freu mich so. Glückstag.

Ein Windstoß erfasst die Wohnungstür und wirft sie ins Schloss. Stehe barfuß, mit nassem T-Shirt und Unterhose

im Hausflur. Mir wird kalt. Egal, davon lass ich mir die gute Laune nicht verderben. Singe sinnlos säuselnd vor mich hin:
– Glückstag. Glückstag.
– Und jetzt, Herr Eppers, sagen Sie mir noch, welches das beste und witzigste Frühstücksradio der Stadt ist, und Sie haben 500 Euro gewonnen.
– Oh, ääh, Moment, äääh …
Klingel beim Nachbarn Sturm. Muss Zeit gewinnen.
– Der Sender, kein Problem, hör ich ja jeden Morgen, Sie sind echt super, echt, auch die Musik, Sie machen ja auch Musik, ne, aber wissen Sie wahrscheinlich ja selbst, beim Sender …
Der Nachbar öffnet. Stürze wortlos an ihm vorbei, werfe mich vors Radio und drücke die Sender durch. Sobald es eine laut pfeifende Rückkopplung gibt, hab ich gewonnen.
– Tut mir leid, Herr Eppers, Ihre Zeit ist abgelaufen.
– Nein, nein, ich hab's gleich.
– Horst, vergiss es.
– Horst? Wieso Horst? Ich denke, ich heiße Hobst.
– Nein, Horst, mach dir mal ein neues Klingelschild. Deine Handschrift ist echt unter aller Sau. Hier ist Peter.
– Peter? Seit wann bist denn du beim Radio?
– Bin ich nicht. Ich bin nur auf einmal wach geworden und konnte nicht mehr einschlafen. Da dachte ich mir, machste das Beste draus, rufste den Horst an und bringst den mal frühzeitig auf Touren. Dann hat der auch mal mehr vom Tag.
Noch saurer als ich war nur mein Nachbar. Später hat er mir dann doch Zange und Schraubenzieher geliehen, damit ich zurück in die Wohnung konnte. Aber erst nachdem ich ihm, so, wie ich war, die Fenster geputzt hatte. Dabei hat er Fotos gemacht, mit denen er mich seitdem erpresst. Sieht so aus, als sollte ich von diesem Tag wirklich noch so richtig viel mehr haben.

# Innere Sicherheit

Es war vor zehn oder zwölf Jahren in London nach einem Theaterbesuch. Nach Ende der Vorstellung musste ich noch schnell auf Toilette. Also ging ich auch und ließ gewohnheitsmäßig meinen Rucksack so lange vor der Sitzreihe stehen. Das war ein Fehler. Gerade hatte ich alle Vorbereitungen getroffen und auf der Brille Platz genommen, als es plötzlich von außen an die Kabinentür hämmerte:

– Open the door!

Mir fiel in meiner Not nix Besseres ein, als zurückzubrüllen:

– Is occupied.

– Security, open the door immediately!!!

Ich öffnete die Tür und sah drei bewaffnete Männer, zwei davon mit der Waffe im Anschlag. In diesem Moment lernte ich, dass die Redensart «sich vor Angst in die Hosen machen» nicht nur eine Redensart ist. Gott sei Dank saß ich ja schon auf der Toilette. Tatsächlich leerten sich beim Anblick der beiden auf mich gerichteten Waffen Darmtrakt und Blase so schnell, unkompliziert und grundlegend aus, dass bei aller Angst auch ein gewisses Glücksgefühl nicht ausblieb. Eine interessante Erfahrung. Auch für die Security-Kräfte muss der Anblick des sich hilflos endlos entleerenden Touristen etwas zutiefst Anrührendes gehabt haben, woraufhin sie mich sofort als harmlos einstuften. Dennoch ermahnten sie mich später streng, nie wieder an öffentlichen Orten Taschen oder Ähnliches stehen zu lassen. Ich fand die Panik der Engländer vor Anschlägen der IRA zwar übertrieben, gab den Wachleuten aber vorsichtshalber in allem recht.

Muss allerdings zugeben, dass ich seither in Zeiten wirklich schlimmer Verdauungsbeschwerden recht gerne in Berlin mit einem leeren Aktenkoffer zum Flughafen fahre, ihn irgendwo auffällig stehen lasse, auf Toilette gehe und geduldig warte, bis mir ein Trupp bewaffneter Wachleute Erlösung bringt.

## Noch mehr vom Tag oder Wie wir zum sichersten Haus in ganz Berlin wurden

Dienstagmorgen, 6.30 Uhr. Werde vom dröhnenden Frühstücksradio im Radiowecker meines Nachbarn geweckt. Seit er seinen neuen Job hat, muss er immer um halb sieben aufstehn, und da sein Schlafzimmer neben meinem liegt und die Wände eher dünn sind, darf ich jeden Morgen gleich mit aufwachen. Mann, Mann, Mann, über fünf Millionen Arbeitslose, aber mein Nachbar, der findet natürlich Arbeit … Nee, das kann doch alles nicht wahr sein, die Welt is' nich' gerecht.

Grad gibt's wieder den tollen Hit der Superstars: «We have a dream, dadadaaa …» Guck, wie sinnig, ich hatte auch 'n Traum, aber den habt ihr mir ja gerade weggeblasen. Stattdessen wird mir jetzt wieder dies bekloppte Lied den ganzen Tag nachlaufen. Es kann mir keiner erzählen, dass es Zufall ist, dass genau um 6.30 Uhr, wo nachweislich die meisten Radiowecker in der Stadt gezündet werden, ausgerechnet «I have a dream …» läuft. Das ist doch zynisch. Wahrscheinlich spielen sie das um Punkt sieben, halb acht und acht gleich nochmal, wechseln für die 9- und 10-Uhr-Aufsteher zu: «I wanna be daylight in your eyes» oder «Wake up, little Susi», um dann ab 11.00 Uhr den Tag für alle Arbeitslosen und Schluffis mit einem knackigen: «Hey, I'm a loser, baby, why don't you kill me» zu eröffnen.

Höre, wie mein Nachbar anfängt zu frühstücken. Kriege auch Hunger.

Schaue in den Kühlschrank. Der meldet: «Hier sind sowieso nur noch zwei Eier und sonst nix.» Auch gut, dann also

Spiegeleier. Von jetzt an geht alles sehr schnell: Eier, Pfanne, Öl, Gasherd an, Pfanne auf Flamme, Flamme geht aus, Pfanne runter, Gasherd an, Pfanne rauf, Flamme aus, Schnittlauch von Fensterbank, Pfanne runter, Gasherd an, Pfanne rauf, Schnittlauch schneiden, nebenbei salzen, kommt nix, Salzstreuer leer, fluchen, hochgucken, Salzpackung ist auf Regal über Arbeitsplatte und Gasherd, fluchen, weiter hochgucken, einmal im Kreis laufen, fuchteln, fluchen, fuchteln, Hocker holen, fluchen, auf Hocker steigen, Salzpackung greifen, Mehl, Zucker, Gewürze, Flocken, Salz, alles rutscht, beide Hände hoch, alles festhalten … gefangen … fünf Sekunden Stille, dann fluchen, Gleichgewicht verlieren, schwanken, ohohohohoho schreien, fluchen, alles aus Regal mit einem Arm halten, mit anderer Hand auf Arbeitsplatte abstützen, ins Schnittlauchmesser fassen, Schmerz, Blut, fluchen, Gestank riechen, dampfende Eier sehen, fluchen, fluchen, fluchen, mit Fuß versuchen, Pfanne von Flamme zu schubsen, wieder Gleichgewicht verlieren, beide Hände hoch, an Regal festhalten, fluchen, Regal knarzt, fluchen, Pfanne mit Fuß nicht von Flamme kriegen, fluchen, Fuß auf Pfannenstiel, Pfanne hoch, Zeit gewinnen, lachen, nochmal alles gut gegangen, Salz rieselt aus gekippter Packung in offene Wunde, Schmerz, fluchen, Schmerz, fluchen, Schmerz, fluchen, Schmerz, fluchen, fluchen, fluchen, bisschen weinen, Türklingel, gerettet.

Es gehört zu meinen eigenartigsten Eigenschaften, sobald irgendwo Türglocke oder Telefon läutet, sofort alles stehen und liegen zu lassen und im sicheren Bewusstsein, eine dringende, wichtige, unaufschiebbare Aufgabe zu haben, zur Klingel zu eilen. «Platz, ich muss zum Telefon!» – «Unterbrecht die Geburt, es hat an der Tür geklingelt!» – «Ich weiß, dass meine Hose brennt, aber hörst du nicht, dass die Türglocke läutet?»

Wie in Trance stelle ich alles zurück an seinen Platz, steige vom Hocker, mache den Herd aus und gehe zur Tür. Ohne Türklingeln hätte ich das nie geschafft.

Öffne die Tür. Mein Nachbar bittet mich, um die Uhrzeit doch nicht ganz so viel Krach zu machen. Es sei schlimm genug, dass er so früh aufstehen müsse, wenn dann auch noch gleich morgens so 'n Radau ist, wär ihm immer gleich der ganze Tag versaut.

Sage, ich werde versuchen, mich nicht mehr so früh von seinem Radiowecker wecken zu lassen. Das heißt, das will ich sagen, tatsächlich umschreibe ich diesen Satz, indem ich ihn stark verdichte, also tatsächlich sage ich nur: «Arschloch!»

Frage ihn dann, ob er mir zwei Eier leihen kann. Er lehnt überraschend ab, erinnert mich an die Fotos und reißt meine Tür zu.

Gehe wieder in die Küche und betrachte das Desaster. Denke, das glaubt mir doch wieder keiner. Beschließe, vorsichtshalber Fotos zu machen. Hole Stehlampe aus dem Zimmer, um die Pfanne und die Blutspuren spektakulär auszuleuchten. Nach einer knappen halben Stunde Einrichten ist das Licht endlich so, wie es sein soll. Drücke auf Auslöser. Stelle fest, dass kein Film in der Kamera ist. Na gut, dann eben abmalen. Hole Staffelei und Tuschkasten. Mist, kriege die Farbe von den verschmorten Eiern einfach nicht gemischt. Na gut, dann eben andersrum, vielleicht kann ich ja die Eier auf die schon gemischte Farbe hinschmoren. Mache den Herd wieder an. Brauche mehr Licht auf den Tuschkasten. Versuche die Stehlampe mit dem Fuß in die richtige Position zu schubsen. Lampe fällt. Mache Ausfallschritt, um Lampe aufzufangen, reiße Staffelei um, gehe in Spagat, um mit anderer Hand Staffelei aufzufangen, höre ein komisches

Knacken, hoffe, es ist die Staffelei, komme nicht mehr aus Spagat raus ...

Gefangen.

Wieder Türklingel. Mensch, heute muss mein Glückstag sein. Hüpfe wie ferngesteuert hoch, stelle alles zurück, mache den Herd aus, gehe zur Tür und öffne. Ein gut gekleideter Mann steht davor.

– Guten Tag, Herr ... äh ...

Er schaut aufs handgeschriebene Klingelschild.

– ... Ebbers.

Sage nix.

– Kruppka, mein Name, ich komme von der Firma Hades und Kompagnon, Security- und Sicherheitsservice.

Ich starre ihn irritiert an.

– Security- und Sicherheitsservice?

– Ja, wieso?

– Ach nix.

– Wir führen in dieser Gegend zurzeit kostenlose Sicherheitsberatungen durch. Haben Sie Interesse?

Vor Jahren habe ich mal im Anflug eines plötzlich auftretenden Anfalls von verblüffend schwachsinnigem Übermut so einen Sicherheitsberater freiwillig kommen lassen. Nachdem der sich ein wenig in meiner Wohnung umgesehen hatte, hat er mir dann blöde grinsend geraten, einfach ein paar Fotos vom Wohnungsinneren zu machen und draußen an die Tür zu hängen. Das sei in meinem Fall sicherlich wirkungsvoller als jede Alarmanlage. Um so was nicht nochmal zu erleben, sage ich: «Nein!» und schlage die Türe zu.

Gehe dann wieder in die Küche und vergleiche den neuen Farbton der Eier mit dem Gemisch aus dem Tuschkasten. So wird das nichts. Ich fürchte, ich muss die Eier schminken.

Plötzlich steht Herr Kruppka neben mir.

– Tachchen nochmal, dachte, mit dieser kleinen Demonstration kann ich Sie vielleicht doch noch interessieren. Also Ihr Wohnungsschloss, ich sag mal: na ja …

Bin zu verblüfft, um freundlich zu sein. Sage finster grinsend:

– Schön, Sie wiederzusehen. Haben Sie Hunger? Ich lad Sie zum Essen ein.

Er schaut ängstlich auf den Herd und die Staffelei.

– Was machen Sie da?

– Ich male schlimmes Essen. Das ist mein Beruf. Was dagegen?

– Nein, natürlich nicht. Und davon kann man leben?

– Nicht wirklich. Mein eigentliches Geld verdien ich mit illegalem Organhandel.

– Verstehe.

Er schaut auf die Blutspuren auf der Arbeitsplatte.

– Und woher bekommen Sie die Organe?

– Na, die laufen mir sozusagen zu.

Greife mir das Schnittlauchmesser. Herr Krupka ist verunsichert.

– Sie veräppeln mich.

– Ja. Und? Essen Sie jetzt mit?

– Nein, aber ich sag Ihnen was. Für Sie wäre so ein Alarmstopper für die Tür genau das Richtige.

– Gehen Sie, wenn ich Ihnen so ein Ding abkaufe?

– Heiliges Ehrenwort, und das Beste, ich komme dann auch nicht wieder hier rein, weil, Sie haben dann ja einen Alarmstopper.

Der Mann versteht sein Handwerk, da gibt's nix. Unterschreibe einen Kaufvertrag für einen Alarmstopper und bringe ihn zurück zum Treppenhaus. Sehe noch, wie er beim Nachbarn klingelt. Verriegele meine Tür dreifach und sichere sie vorsichtshalber noch zusätzlich mit dem Besen, bevor ich zum Telefon gehe, um bei Kruppkas Firma anzurufen und den Kaufvertrag zu annullieren. Der Mann am anderen Ende der Leitung nimmt die Stornierung sehr gelassen und routiniert entgegen. Offensichtlich erlebt er das nicht zum ersten Mal. Dann meldet sich der Hunger wieder. Rufe Frederic an, um mich mit ihm in einem Frühstückscafé zu verabreden. Er klingt etwas unwirsch.

– Was?

– Na, frühstücken, im Café, wir zwei …

– Wann?

– Na jetzt.

– Horst, es ist halb acht.

– Ja und? Ich bin schon wach.

– Aber ich noch nicht. Zum letzten Mal, ich steh erst um neun auf.

– Warum?

– Weil ich es kann. Und jetzt hinterlass mir deine Nachricht. Piiiiep.

Stelle fest, dass ich nur mit Frederics Anrufbeantworter gesprochen habe. Seit mein Nachbar diesen Job hat, ich um halb sieben mit aufwache und kurze Zeit später Freunde anrufe, haben diese offenkundig Gegenmaßnahmen ergriffen. Rufe noch vier weitere Freunde an, bekomme jedoch nur Anrufbeantworter an den Apparat, die mich aber alle persönlich mit Namen ansprechen und genau wissen, wie spät es ist. Meine Freunde sind nicht blöd. Aber das kann ich auch. Rufe nochmal Frederic an und sage der Maschine, Frederic soll mich gleich nach dem Aufstehen zurückrufen. Um sicherzugehen, dass er auch wirklich anruft, sage ich noch: Es geht um Conny, die hat gefragt, ob ich unauffällig ein Treffen mit dir organisieren kann. Dann bespreche ich meinen Anrufbeantworter mit:

– Hallo, Fredric, na, da guckste, dass ich weiß, dass du anrufst, wa, jaaa, der Horst, dem musste mit Logik nicht kommen, das kann der auch, aber wie aussem Effeff, aber hallo, jaaa. Hör zu, ich bin mit Conny um zehn in den Zooterrassen verabredet, komm doch einfach dazu.

Weder Frederic noch ich kennen irgendeine Conny, aber wie ich Frederic kenne, reicht die Erwähnung irgendeines Frauennamens völlig, um sicherzugehen, dass er erscheint.

Im Bus summt der Mann auf der Bank neben mir: «I wanna be daylight ...» Stupse ihn an und sage:

– Sie Memme, ich bin schon um «We have a dream» aufgestanden.

Er ist beeindruckt.

Im Café erscheint Frederic nicht. Dafür höre ich kurz nach zehn eine andere, mir mittlerweile wohlvertraute Stimme durchs Lokal rufen.

– Hallo, Herr Ebbers!

Ohne lange zu fragen, setzt sich Herr Kruppka zu mir.

– Sie waren nicht zu Hause, aber ich habe dann ja von Ihrem Band erfahren, wo Sie sind. Sie wollten nochmal über den Alarmstopper reden?

– Eigentlich nicht.

– O doch, glauben Sie mir, das wollen Sie. Haben Sie denn wirklich kein erhöhtes Sicherheitsbedürfnis? Fühlen Sie sich nicht manchmal irgendwie bedroht?

Dieser Kruppka ist wirklich außerordentlich gut in dem, was er tut. Unterschreibe dieses Mal einen Vertrag ohne Widerrufsrecht.

Rund eine Woche später erhalte ich per Post den Alarmstopper. Hochempfindlich, dieses Gerät. Noch in derselben Nacht höre ich aus vier verschiedenen Wohnungen andere Alarmstopper losheulen. Um 2.00 Uhr, um 3.30 Uhr, um 4.15

Uhr und um 6.07 Uhr. Da hatte ich dann immerhin noch 23 Minuten seligen Schlaf, bis um 6.30 Uhr der Radiowecker meines Nachbarn losging. Dafür sind wir jetzt aber auch das wahrscheinlich sicherste Haus in ganz Berlin. Kruppka hat wirklich ganze Arbeit geleistet.

## Wo war ich, als ...

Erst mal war ich stinksauer in der Nacht vom 9. auf den 10. November 1989. Grad hatte ich mich nach einem langen, harten Tag einmal hingesetzt, um die nächtliche Folge meiner damaligen Lieblingsserie «Kampf gegen die Mafia» zu gucken. Da passiert's: Alle nachfolgenden Sendungen auf unbestimmte Zeit verschoben, weil irgendwer irgendwem auf irgendeiner Pressekonferenz irgendeinen Zettel zugesteckt hat. Zack, und dann wurd auch schon zum Grenzübergang Bornholmer Straße geschaltet. Na toll. Bis heute weiß ich nicht, wer in der Serie warum Vinnie Terranovas Tarnung hat auffliegen lassen.

Obwohl's damals nur ein paar hundert Meter zum Grenzübergang gewesen wären, ist es mir irgendwie nicht gelungen, mich in dieser Nacht vom Fernseher zu lösen. Weil ich Angst hatte, etwas vom Geschehen zu verpassen, wenn ich zum Geschehen selbst hingehen würde. Wobei es aber zunehmend schwieriger wurde, den Fernseher überhaupt noch zu verstehen, weil das Getöse von draußen immer lauter wurde. Bin erst zum Fenster: «Mal Ruhe da draußen, hier wird Geschichte gemacht, und ich kann's nicht verstehen, weil ihr da so 'n Radau macht!» Hab dann einfach den Fernseher auf volle Lautstärke gestellt. Wer sich noch an die eine große Rückkopplung in der Übertragung erinnert: Das war ich.

Aber halt. Der wirkliche Grund, warum ich in jener Nacht nicht mehr raus bin, war ein anderer. Ich war schlicht zu faul, mir nochmal Schuhe und Jacke anzuziehen. Hab mir später deshalb oft Vorwürfe gemacht. Was sollen die eigentlich noch veranstalten, damit du mal ausse Puschen kommst? Da machen die 28 Jahre Mauer, mit allem Spektakel und Spannung aufbauen, nur für den einen Moment, wo sie da aufgeht, sich alle Spannung löst, alles jubelt, freut, tanzt, wo mal richtig amtlich Geschichte gemacht wird; und du: «Oooh nöö, hab mich grad hingesetzt, mooohh, könnt ihr das nich tagsüber machen …» Was für eine Niederlage.

Später hat sich das ein bisschen zum Trauma ausgewachsen. Einige Jahre hab ich deshalb in Schuhen und Jacke geschlafen, aus Angst, gleich passiert wieder was Historisches, und ich verpasse es, weil ich zu faul bin, die Schuhe anzuziehen. Hat viele meiner Freunde irritiert. Speziell auch Freundinnen. Bis mir Mitte der 90er Jahre eine von ihnen lückenlos nachweisen konnte, wie unwahrscheinlich es ist, dass nochmal die Mauer aufgeht. Großartige Frau.

Nachdem in jener Nacht der Fernsehreporter dann zum 347. Mal jemanden gefragt hatte, ob er das alles je für möglich gehalten hätte, und dieser Mensch, der auch ich hätte sein können, entrückt und aufrichtig antwortete: «Wahnsinn!», bin ich eingeschlafen.

Als ich am nächsten Morgen erwachte, war die Stadt bekloppt geworden. Im Laden an der Ecke, der damals eigentlich eine Mitfahrzentrale war, aber aus irgendwelchen Gründen auch Zigaretten verkaufte, fragte mich der Besitzer, ob ich dies alles jemals für möglich gehalten hätte. Ich antwortete wahrheitsgemäß und umfassend: «Wahnsinn», und er steckte mir eine Banane zu. Ansonsten musste man in der nächsten Zeit fürs Einkaufen immer mindestens eine Stunde veranschlagen, also eine Stunde, bis man überhaupt mal im Aldi drin war. Anfangs nicht schlimm, weil, man konnte ja an der Grenze frühstücken. Wenn man direkt an der Grenze drehte und so tat, als käme man aus dem Osten, gab's noch 'ne Weile Obst für lau. Nach zwei, drei Tagen holten sich eigentlich nur noch Westler an der Grenze Obst. Den Ostlern wars wohl irgendwann zu blöd geworden. Dann sollte das Obst und alles auf einmal total viel Geld kosten. Es kam zum Streit, wir wurden als undankbare Ossis beschimpft, es begann das Ost-West-Gezänke. Erst mal aber nur zwischen Wessis. Viele Menschen, auch im Westen, fingen ein ganz neues Leben an. Mein Nachbar Karl erwirtschaftete sich mit Ost-West-Pfandflaschen-Schmuggel und dem Vertrieb von Mauerstücken das Grundkapital für eine illegale mobile Wechselstube für Ost- und Westmark am Bahnhof Zoo. Viele sahen plötzlich die Chance ihres Lebens. Andere wurden schlagartig politisiert. Selbst Jochen, der eigentlich BWL studierte, brach alles hinter sich ab und ging in den Osten, um ein Haus zu besetzen. Nur ich machte so weiter wie früher, nämlich erst mal nichts.

Knapp anderthalb Jahre später erreichte die zweite Ausstrahlung der «Kampf gegen die Mafia»-Serie wieder ihren Höhepunkt mit der Folge von Vinnie Terranovas Enttarnung. Oder besser, sie hätte sie erreichen sollen. Kurz vorm Vorspann musste ich nochmal schnell auf Toilette. Als ich zurückkam, war da plötzlich die Einblendung: «Alle nachfolgenden Sendungen verschieben sich auf unbestimmte Zeit.» Im Hintergrund die tiefschwarze Nacht von Bagdad, in der es ab und zu grün flackerte. Der erste Golfkrieg hatte begonnen. Damals hieß er noch: der Golfkrieg. Diesmal nicht direkt vor meiner Haustür, was gut war, weil, das wäre ja wahrscheinlich noch lauter gewesen. Obwohl, immerhin hatte ich noch meine Schuhe an. Vier Stunden das grüne Flackern angestarrt, dann eingeschlafen. Als ich am nächsten Morgen erwachte, war die Stadt bekloppt geworden. Überall hingen weiße Bettlaken aus dem Fenster. Täglich gab's Demonstrationen. Allgemeine Angst. Damals hatte der Irak sogar noch richtige Mittelstreckenraketen. Unvergesslich die Bild-Schlagzeile: «Gut für

Berlin, irakische Raketen kommen nur bis Österreich!» Aus meinem Golfkriegstagebuch jener Zeit der Eintrag:

«Am Morgen nochmal vier Stunden Videoaufzeichnung von grünem Flackern geguckt. Dann still gesessen.

Schlechtes Gewissen. Die anderen, ja, die anderen, die machen was, die wehren sich, die hängen Bettücher aus dem Fenster, und du? Du sitzt nur rum. Wäscheschrank durchgewühlt. Finde nur rote und schwarze Bettwäsche. Gilt die auch? Weiß nicht. Nähe zwölf weiße Geschirrhandtücher zusammen. Hänge sie raus. Sieht im Parterre schon komisch aus. Aber wenigstens tu ich endlich mal was. Gehe zum Laden an der Ecke, der mittlerweile eigentlich ein Existenzgründerberatungsbüro ist, aber aus irgendwelchen Gründen auch Zigaretten verkauft. Als ich zurückkomme, sind die Geschirrtücher weg. Trockne später mein Geschirr mit der Bettwäsche ab.

Nachbar Karl betreibt jetzt einen schwunghaften Handel mit Gasmasken aus NVA-Beständen. Jochen hat sein politisches Besetzerprojekt in ein alternatives Wohnprojekt umgetauft und verhandelt mit dem Senat. Das endlose und letzlich doch auch eher monotone grüne Geflacker beschert den Sendern erstaunliche Quoten. Auf den Geschmack gekommen, ersetzen sie es durch völlig neue, revolutionäre Sendekonzepte. In den folgenden Jahren werden Space-TV, Kaminfeuer, S-Bahn-Fahrten und vor allem Fische, die durch irgendein Aquarium schwimmen, zu den absoluten Rennern im Nachtprogramm. Ich bemerke den Unterschied erst einige Monate später.

Sommer 1992. RTL 2 unternimmt einen letzten Versuch mit «Kampf gegen die Mafia», aber immer wieder fliegen Folgen, auch die entscheidende, aus dem Programm. Die Anlässe: ausländerfeindliche oder antisemitische Anschläge in Rostock, Solingen, Mölln oder anderswo. Eine eingepinkelte Jogginghose wird zum Symbol für das neue Deutschland. Als Foto des Jahres geht sie um die Welt. Nachbar Karl betreibt jetzt einen lukrativen Handel mit gefälschten Weltkriegsorden. Im Laden an der Ecke, der mittlerweile eigentlich ein CD-Verleih ist, aber aus irgendwelchen Gründen auch Zigaretten verkauft, treffe ich Jochen. Er hat für sein Wohnprojekt echt faire Mietverträge mit Kaufoption bekommen. Sony und Mercedes bekommen zu noch faireren Konditionen den Potsdamer Platz. Der wird abgerissen, und es entsteht das größte Loch Europas. Ein großartiges Loch. Alle Berliner sind sehr stolz auf dieses Loch, das zu Recht zur wichtigsten Sehenswürdigkeit der Stadt wird.

Fünf Jahre lang riskiert kein Sender mehr die Ausstrahlung von «Kampf gegen die Mafia». Bis im Herbst 97 VOX eine lange Nacht der Serie wagt. Doch just in dem Moment, als die entscheidende Folge beginnen soll, kommt die Schalte nach Paris. Di und Dodi tot. Autounfall. Die fällige Beerdigung wird zum vielleicht größten Fernsehereignis der 90er Jahre.

Ein Auszug aus meinem damaligen Tagebuch:

«Samstagmorgen, auf dem Weg zum REWE-Markt. Hab's eilig, die Beerdigung läuft, und ich will auf keinen Fall verpassen, wie Elton John singt. Im REWE-Markt eine Hektik wie noch nie, alle kramen nur schnell ihr Zeugs zusammen, summen ‹Candle In the Wind› und stürmen dann wieder nach Hause zum Fernseher. Die Kassiererinnen schauen sich die Waren nur kurz an, schätzen den Preis, damit's schneller geht und sie wieder auf den kleinen Monitor an den Kassen starren können. Auch ich greife mir nur wahllos möglichst bunte Sachen, die mein Stammhirn beim ersten Anblick als ‹Ernährung, die man nicht lange kochen muss› eingestuft hat. Papiertaschentücher und Kleenex bekomme ich im Laden an der Ecke, der mittlerweile eigentlich eine Import-Export-Parfümerie ist, aber aus irgendwelchen Gründen auch Zigaretten verkauft.

Zurück daheim, wuchte ich mich wieder vor den Fernseher, reiße eine Packung Mehl auf, nehme mir eine Handvoll und kaue lustlos darauf herum. Wenn dieser Beerdigungsstress vorbei ist, werde ich mich mal mit meinem Stammhirn unterhalten müssen über unsere leicht auseinandergehenden Ansichten über akzeptables Essen. Zumindest macht pures Mehl total schnell satt und verschafft einem auch einen prima Kloß im Hals. Im Moment ganz angebracht.

Mensch, die arme Diana. Ich hab ja schon vor Jahren bei der Hochzeit damals gesagt: Charles und Diana, das wird nix, nää, nie im Leben, wie der Charles schon geguckt hat bei der Hochzeit, hmm, wusst ich gleich Bescheid, das wird nix, keine Woche hält das, keine Woche! Und grad mal nach 15 Jahren wars ja auch vorbei. Damals wollt ich noch zur Diana sagen, komm, Diana, lass den Charles, nimm mich, aber wollt se nich, nich mal geantwortet hattse. Nu wollt die Diana auch gerne Prinzessin werden, junge Mädchen eben, was willste machen, und ich war ja auch damals erst 14 Jahre alt, wer weiß, ob das überhaupt gut gegangen wär, aber so: war ja auch nich' gut, ne. Hättses schon besser bei mir gehabt, würden wir jetzt zusammensitzen, jeder 'ne Handvoll Mehl essen und schön die Beerdigung von Camilla gucken ...»

Nachbar Karl, der mittlerweile im Prinzip mit Handytaschen handelt, erweitert seine Produktpalette um Dianabildchen. Auf dem Potsdamer Platz werden die ersten Gebäude fertig. Alle sind sich einig: Das große Loch war schöner. Also zumindest interessanter. Vielleicht hätte man das so lassen sollen. Jochen hat mit zwei Gesellschaftern sein Haus jetzt gekauft, wandelt es in Büroflächen um und zieht ins Umland. Ich wette mit Freunden um sechs Kisten Bier, dass sich dieses komische Internet niemals durchsetzen wird.

Vier Jahre später hat der Chef von Kabel 1 eine brillante Idee. Man muss «Kampf gegen die Mafia» einfach mal tagsüber ausstrahlen. So um die späte Mittagszeit, was soll da schon passieren … Und doch, ich hatte schon so ein komisches Gefühl, als ich mich am sehr späten Vormittag des 11. September 2001 vor den Fernseher setzte …

Im Laden an der Ecke, der mittlerweile eigentlich ein Telefonladen für günstige Gespräche in alle Welt ist, aber aus irgendwelchen Gründen auch Zigaretten verkauft, treffe ich Karl, der zwischenzeitlich mit seinem Start-up-Unternehmen für Irgendwas ziemlich reich geworden war. Dann aber brach der Markt für Irgendwas zusammen. Wahrscheinlich, weil alle schon Irgendwas hatten oder weil es Irgendwas dann doch eben letztlich gar nicht gab. Er verlor alles und handelt jetzt wieder mit gefälschten Mauerstücken. Was Solides eben. Jochen konnte aus dem Aktiencrash gerade noch so viel Geld rüberretten, um sich ein Dorf in der Uckermark zu kaufen.

Am fast fertigen Potsdamer Platz war die Trauer groß. Dieser 11. September 2001, so viel war klar, würde die Welt für immer verändern. Berlins große Zeit war nun vorbei. Der Mittelpunkt der Welt, der Ort, wo die Musik spielt, war jetzt nicht mehr Berlin. Wie alle Berliner wusste auch ich nun endgültig: Ab jetzt gibt es wirklich keinen Grund mehr, nachts die Schuhe anzulassen.

## Epilog

Heute gehört Karl der Laden an der Ecke, der jetzt eigentlich eine Ebay-Annahmestelle ist, in der Karl mir zuliebe aber auch Zigaretten verkauft. Also, er hat ihn natürlich nur gemietet, von den Geldern seiner Ich-AG-Förderung. Wenn die Förderung ausläuft, wird wohl ein anderer Ich-AG-Laden einziehen. Für 'n halbes Jahr. Es sei denn, Jochen, dessen neue Uckermärkische Wohnungsgesellschaft das Haus kürzlich gekauft hat, drückt ein Auge zu.

Letzte Woche hat Karl mir unter der Hand die DVDs der kompletten Folgen von «Allein gegen die Mafia» besorgt. Seitdem liegen die bei mir zu Hause. Aber obwohl so ja eigentlich gar nichts passieren kann, trau ich mich einfach nicht, die entscheidende Folge endlich mal … wobei, interessieren würd's mich ja irgendwo schon.

# Es kommt, wie es kommt

Wenn ich früher, also speziell in den ersten Jahren in Berlin, Besuch von außerhalb bekommen habe, habe ich mich darauf immer sehr gewissenhaft vorbereitet. Nicht nur, dass ich tagelang die Wohnung aufgeräumt und geputzt habe, damit jeder gleich sieht: «Mensch, der Horst kann aber gut putzen, schön sauber is' das in Berlin.»

Mehr noch, um wirklich zu beeindrucken, habe ich auch die Speicherplätze in der Fernbedienung geändert. Statt Sat.1, ProSieben, RTL1, 2 usw. kamen 3sat, Arte und die dritten Programme auf die einstelligen Plätze. Die Kicker- und Fernsehzeitschriften wurden versteckt und stattdessen in der ganzen Wohnung linguistische Fachbücher und Schöngeistiges von Balzac oder Kleist ausgelegt. Und ich gestaltete das Badezimmerregal komplett neu, indem ich die Aspirin-, Rennie- und Alka-Seltzer-Packungen gegen bürgerlichen Shampoo- und Hygienekram ausgetauscht habe.

Nach dem Besuch dauerte es dann manchmal Wochen, bis sich die Wohnung wieder in einen für mich normal bewohnbaren Zustand zurückverwandelt hatte. Wenn ich den Besuch so richtig beeindrucken wollte, habe ich sogar eine Wohnungsanzeige aufgegeben. Für eine superschöne, irrsinnig günstige Wohnung in bester Lage, mit dem ausdrücklichen Vermerk: «Nur an Akademiker!» Das verfehlte seine Wirkung nie: «Mensch, und auch mit dem Studium läuft das für den Horst richtig gut. Ständig rufen da die Professoren und Doktoren an. Und alle immer ganz freundlich und wollen ganz, ganz dringend den Horst sprechen.»

Dann jedoch kam die Zeit, wo es mir langsam mit dem Besuch zu viel wurde. Genau genommen kam diese Zeit sogar ziemlich schnell. Und ehrlich gesagt wurde es mir sogar mit dem ganzen Leben zu viel. Diesen ständigen lästigen Pflichten wie Aufstehn, Waschen, Essen und was weiß ich nicht noch alles. Ich war nun richtig in Berlin angekommen. Hatte mich auf den Rhythmus dieser Stadt eingependelt.

Ich wurde nachlässiger, auch was den Besuch angeht. So kam es nicht selten vor, dass es auf einmal an der Tür klingelte, und ein Mensch mit Reisetasche stand für mich sehr überraschend davor. Da hieß es spontan sein. «Oh, hallo. Was machst du denn hier? Nein, natürlich hab ich deinen Anruf abgehört. Du hattest überlegt zu kommen. Na, das is' dann ja wohl jetzt ziemlich konkret geworden.

Wie lange? … Oh, schön, da hamm wir ja richtig Zeit zum Reden. Dann können wir das ja auch noch später … Müssen ja nich' gleich …

Kaffee? Mmh. Ich auch. Machste uns einen? Oh, keiner da. Holste grad welchen? Und wennde schon gehst, kannste auch noch gleich Brötchen, Butter, Wurst, Marmelade und Zeitung mitbringen?»

In noch schlimmeren Fällen hab ich mir vor einem angekündigten Besuch sogar überlegt, was mal renoviert werden müsste, um dann den Besuch gleich in Malerklamotten zu empfangen:

«Ah, schon da, so früh. Mensch, ich bin grad noch, kannste mir grade bei der Wand helfen.»

Erstaunlich, was man zu zweit so alles schafft.

Ab und zu wirke ich einem bevorstehenden Besuch auch präventiv entgegen. Indem ich Berlin-Besuch-Vorbereitungsblätter verschicke:

«Hallo, ich freue mich schon sehr auf deinen Besuch, aber damit dein Berlinaufenthalt auch wirklich ein voller Erfolg

wird, ist es sicherlich sinnvoll, wenn du ein paar unabding-
bare Vorbereitungen triffst und ein paar Regeln kennst.

1. Berlin hat viel zu bieten. Man schafft das gar nicht alles in
ein paar Tagen. Besorge dir bitte Berlinführer und Stadtplan,
damit du die Sehenswürdigkeiten gezielt und vor allem selb-
ständig erkunden kannst.

2. Trage städtische, nicht zu auffällige Kleidung.

3. Sprich niemanden an. Wenn du in der Stadt etwas wissen
willst, brüll die Frage laut vor dich hin. Das machen wir in
Berlin so.

4. Lies bitte sorgfältig die Standardwerke: «Berlin Alexander-
platz» und «Wir Kinder vom Bahnhof Zoo». Das kann hier
jederzeit abgefragt werden.

5. Es wird nicht berlinert. Das ist ganz wichtig. Egal, wie gut
und lustig du das auch zu können glaubst: Es wird nicht berlinert!

6. Über Berlin schimpfen oder meckern darf nur, wer auch in
Berlin wohnt. Alle anderen beschränken sich bei ihrer Beur-
teilung der Stadt bitte auf Äußerungen wie:
«Ooh ... toll ... boarhh ... haste noch nich' gesehen ... so
was gibt's bei uns aber nicht ... boarh ... toll ... so groß ...
Mensch, hier würd ich auch gerne wohnen ... schon imposant ... beeindruckend ... boarh ... toll. «

7. Vor 8.30 Uhr wird in der Wohnung nicht gesprochen oder
gelächelt. Niemand in Berlin macht das. Um das zu über-
prüfen, kannst du gerne mal hier in Berlin um sieben mit
Bus oder U-Bahn fahren. Auf dem Rückweg kannst du dann
Frühstück mitbringen.

## In der Botschaft

Die Frau neben uns im Warteraum der Schweizer Botschaft sieht glücklich aus. Sie will heiraten und freut sich schon darauf, es dem Schweizer Botschaftsangestellten mitzuteilen. Erst vor kurzem hat sie den Mann am Stuttgarter Hauptbahnhof kennengelernt. Er hing auf einmal an ihrem Koffer, sagt sie. Sie lässt uns vor, weil sie so gute Laune hat und weil ich das Kind dabeihabe. Kinder auf Ämtern oder in Supermarktschlangen können Wartezeiten verkürzen. Häufiger, als man denkt. Das sollte die Regierung mal als Argument für die Familienpolitik aufgreifen, aber auf so was kommen die ja gar nicht.

Diesmal geht es aber auch ums Kind. Es soll einen Reisepass bekommen. Vom Botschaftsangestellten erfahren wir, dass das Ausstellen dieses schlichten Dokuments sagenhafte 42 Euro Bearbeitungsgebühr kosten soll. Ich sage:

– Was?

Der Botschaftsangestellte lächelt mich an. Ich sage nochmal:

– Was?

Der Botschaftsangestellte lächelt weiter, er kennt diese Reaktion wohl schon und wartet geduldig, bis ich noch siebenmal «Was?» gesagt habe. Dann beginnt er das Formular auszufüllen.

Gut, es ist ein Schweizer Pass, in der Schweiz ist alles teurer, aber trotzdem: 42 Euro. Denke, dass wir dann ja wohl besser nächstes Mal den Pass bei einem privaten Passhersteller in der Kantstraße oder so kaufen. Da kriegste doch so 'n neuen Ausweis oder Papiere mittlerweile bestimmt billiger als auf fem Amt. Und man kann sich sogar Nationalität und Namen neu aussuchen.

Der Botschaftsangestellte starrt mich an. Stelle fest, dass ich wohl laut gedacht habe. Dann ist plötzlich doch die Frau dran. Rund eine Stunde später ist unser einseitiges Formular ausgefüllt. Ist ja nochmal gut gegangen.

# Ein ganz normaler Tag in Berlin

7.00 Uhr: Wecker klingelt. Mache ihn aus. Im Kopf tausend Fragen. Aber eine dominiert: Warum habe ich den Wecker auf 7 Uhr gestellt? Was will ich mir damit beweisen? Ist das bloße Angeberei? Guck mal, wenn ich einen Tag von mir beschreibe, geht das schon um 7 Uhr los. Hm. Warum nicht. Sollen ruhig alle wissen, wie früh ich nämlich schon aufstehe. Bin stolz. Döse dann nochmal weg.

8.00 Uhr: Wache auf wegen Bauchschmerzen. Schlimme Bauchschmerzen. So ein Drücken. Stoßartiges Drücken. Mal links, mal rechts, mal in der Mitte. Kaum auszuhalten. Denke, wenn das noch schlimmer wird, muss ich was dagegen tun. Womöglich aufstehen oder so. Die Aussicht macht mich müde. Schaue an mir runter und sehe mein Kind auf meinem Bauch herumhüpfen. Das Kind sagt, ich soll aufstehen. Kommen sonst zu spät in den Kinderladen. Sage, wir könnten doch heute mal schwänzen. Kind fragt, warum. Weiß nicht. Bauchschmerzen? Kind beginnt auf dem Gesicht zu hüpfen, fragt, ob es dem Bauch jetzt besser geht. Die Mutter vom Kind sagt dem Kind, es soll aufhören. Ich sei dran mit zum Kinderladen bringen. Und wenn das Kind mich kaputt macht, muss sie raus in die Kälte. Mein Kind hört auf zu hüpfen und holt meine Anziehsachen. Schaue dankbar zur Mutter. Sehe, dass sie immer noch schläft. Neben ihr der laufende Cassettenrecorder mit Zeitschaltuhr. Jetzt wünscht mir der Cassettenrecorder einen guten Morgen. Dann springt mein Recorder mit Zeitschaltuhr an. Mein Cassettenrecorder wünscht ihrem Cassettenrecorder einen guten Morgen. Danach tauschen die beiden Recorder Komplimente und Zärtlichkeiten aus. Das ist schön. Haben diese Bänder schon vor langer Zeit aufgenommen. Damit die Beziehung nicht in puren Pragmatismus und nur noch Kinderdienst abgleitet. Überlege, was wir eigentlich noch für Bänder haben. Das Kind ist jetzt angezogen. Hält mir anklagend die Anziehsachen hin. Weigere mich, die blöde Wollunterhose anzuziehen. Kind sagt, wir haben keine Zeit zum Diskutieren, draußen is' kalt, du warst diesen Winter schon genug krank. Und jetzt schnell, wir sind spät dran. Frage mich, ob das alles so richtig is'. Dann nehmen wir uns in den Arm. Ja, is' schon alles richtig.

8.40 Uhr: Auf Höhe des zweiten Stocks im Treppenhaus springt das dort deponierte Band an und fragt, ob wir auch die Monatskarte haben. Gehen nochmal zurück.

8.45 Uhr: Das Kind zieht mich den Bürgersteig entlang. Ich kann nicht so schnell, außerdem kratzt die doofe Wollunterhose.

8.50 Uhr: Der Busfahrer fragt beim Einsteigen, ob wir auch an die Bastelsachen gedacht haben. Heute ist doch Basteltag in der Kita. Verdammt. Vergessen. Er lächelt und holt eine Tüte mit Bastelzeug hervor. Kein Problem, er hat sich schon so was gedacht. Dann sagt er, er braucht noch unseren Kitaaktionsplan für die nächste Woche, er kann sich sonst nicht vorbereiten. Diesmal in zweifacher Ausführung, weil, Dienstag und Donnerstag hat ein anderer Fahrer Dienst. Und ich soll die Tage, wo ich Kinderdienst habe, rot markieren.
Denke, stimmt schon, was man so sagt: Um so ein Kind zu erziehen, braucht es ein ganzes Dorf.

8.53 Uhr: Es ist heiß im Bus. Bin knallrot. Die blöde Wollunterhose bringt mich um.

8.55 Uhr: Aussteigen am Nollendorfplatz. In der Trattoria gastiert am Abend ein Shownudelesser aus Rheine. Irgendjemand baut vor der U-Bahn eine Fernsehkamera auf. Darauf steht: *Alle Sender. Immer live!*

An der Ampel fragt ein Mann nach dem Weg zur CDU-Parteizentrale. Ein anderer antwortet: «Na hier geradeaus, über die Ampel, dann links, kurz rechts, stehen bleiben, Ampel, rüber, dann links oder geradeaus, is egal, aber denn müssen Se hinterher rechts oder links rechts, denn kommen Se nicht rüber, Stück links, Ampel rüber, rechts, is dann da, verstanden?»

Die beiden Männer starren sich an. Die gesamte Wegbeschreibung hat vielleicht mal eine knappe Sekunde gedauert. Jetzt stehen sie sicher 20 Sekunden starrend voreinander. Dann nimmt der Ortskundige den Gesprächsfaden wieder auf:

– Verstanden?

Der Fragende entschließt sich zu lügen.

– Ich glaub ja, ja, schon irgendwie.

– Na, ich weiß ja nich, wie müssen Sie denn an der zweiten Ampel?

Jetzt starren sie sich wieder an.

– Zweite Ampel, hamm Se nich zugehört?

– Ääääh, links?

– Schon verkehrt.

– Rechts?

– Nein, jetzt ist die Ampel schon wieder rot. Na, das kann ja was werden.

Der erste Mann geht los. Sehe, wie der andere ihm folgt.


9.05 Uhr: Im Kinderladen. Die Kinder diskutieren fröhlich und angeregt, dass es immer schwieriger wird, die Eltern morgens in Gang zu bringen. Die Eltern stehen apathisch starrend im Flur und schwitzen. Ein paar schimpfen mur-

**143**

melnd auf die doofe Wollunterwäsche. Der kleine Moritz ist traurig, weil sein Busfahrer seine Bastelsachen vergessen hat. Alle schimpfen ein bisschen auf die BVG.

9.15 Uhr: Stürme außer Sichtweite des Kinderladens auf eine Citytoilette und ziehe die lange Wollunterhose aus. Der süße Duft der Anarchie durchweht die öffentliche Toilette.

9.20 Uhr: Raus aus der Toilette. Fühle mich gut. Endlich kann ich wieder die klare, kalte Berliner Luft spüren, wie sie direkt durch die Jeans auf meine männliche Beinhaut trifft. Das ist Freiheit. … … Mir wird kalt. Gehe zurück zur Toilette und ziehe wieder die lange Wollunterhose an.

9.25 Uhr: Ein Mann hetzt durch die Maaßenstraße. Erkenne den, der nach der Parteizentrale sucht. Er schaut sich ängstlich um. Zehn Meter hinter ihm der andere.
– Faaalsch, falsch!!! Sie laufen völlig falsch. Das wird ja nie was! So, wir gehen jetzt nochmal zum Ausgangspunkt zurück und Sie probieren's neu. Nochmal ganz von vorn. Ich erklär Ihnen den Weg doch nicht zum Spaß.

9.30 Uhr: Nollendorfplatz. Vor der Kamera *Alle Sender, immer live!* steht mittlerweile Udo Walz. Hinter ihm warten schon Wolfgang Joop und Ben Becker. Ein Mitarbeiter des Teams erklärt mir, dass sie diese Kamera jeden Tag irgendwo in Berlin aufstellen.
Manchmal ist sie richtig gut versteckt, aber diese Leute finden sie immer.

10.00 Uhr: Wieder zu Hause. Jede Menge Arbeit. So viel Arbeit. Überhaupt gar nicht zu schaffen, bis ich Kind wieder

**144**

abholen muss. Mache Computer an. Will Text schreiben. Schlafe dann zügig ein.

15.00 Uhr: Werde von Telefonklingeln geweckt. Schaue auf Bildschirm. Boarh, über 200 Seiten Text geschrieben. Leider nur ein Buchstabe.
Gehe ans Telefon. Ein Mann von irgendeiner Telefongesellschaft fragt, ob ich nicht Lust habe, den Tarif zu wechseln. Sage: «Ooooh … ja, ja, warum eigentlich nicht. Nee, wenn ich's mir mal richtig überlege, eigentlich sehr gern, wirklich. Aber im Moment ist grad schlecht. Ich muss gleich das Kind abholen. Rufen Sie doch morgen nochmal um die gleiche Zeit an.» Mache das seit Wochen so. Funktioniert besser als jeder Wecker.

15.20 Uhr: Zwei Männer rennen über den Bürgersteig. Der hintere schreit: «Verkehrt!!! Immer verkehrter! Mann, jetzt reißen Se sich mal zusammen, ich hab auch noch was anderes zu tun, als Ihnen den Weg zu erklären!!!» Das glaub ich nicht.

16.00 Uhr: Hole das Kind ab. Die Kinder haben irgendwelche Sachen gebastelt. Keiner weiß genau, was es ist, aber es ist sehr phantasievoll. Alle Eltern freuen sich. Auch weil sie jetzt etwas in der Hand haben, was sie gleich ihren BVG-Busfahrern zeigen können.

16.30 Uhr: Die ganze Familie ist wieder zu Hause. Das Kind findet schnell einen schönen Platz für seine neue Skulptur. Es stellt sie zu den anderen Bastelarbeiten auf meinem Schreibtisch. Ab jetzt das Übliche: spielen, kochen, spielen, essen, spielen, kurz Nachrichten: «Die Pressekonferenz der CDU zum neuen Verkehrsleitsystem musste heute Morgen abgesagt werden, weil der Referent nicht erschienen ist.» Dann wieder spielen, aufräumen, spielen, spielen, aufräumen … Gegen halb zehn weckt uns das Kind, weil es jetzt ins Bett will, es muss morgen früh raus.

22.00 Uhr: Kind schläft. Noch 'n bisschen zusammensitzen. Gegen halb eins nochmal kurz an den Computer. Gegen drei wieder auf der Tastatur aufwachen. 320 Seiten «n» geschafft. Alle schlafen, auch ins Bett.

3.15 Uhr: Kann jetzt nicht mehr einschlafen. Höre Schreie von der Straße. «Immer noch verkehrt, ganz falsch!!! Na, ich würd sagen, wir machen jetzt für heute Feierabend und machen morgen weiter.»

3.30 Uhr: Kann immer noch nicht einschlafen. Hole die Tastatur ins Bett, lege die Nase drauf. Schlafe sofort ein.

7.00 Uhr: Wecker klingelt. Mache ihn aus. Im Kopf tausend Fragen …

# Epilog

## Keine Angst vorm Alter

Seit rund anderthalb Jahren bekomme ich oft Anrufe von komischen Menschen.

Aufrichtig besorgte Menschen, die mich fragen, ob ich denn auch schon private Vorsorge fürs Alter getroffen hätte. Auf meine entwaffnend ehrliche Antwort: «Brrrrhh, äh ... weiß nich' ...», schlagen sie mir dann regelmäßig vor, ihnen jeden Monat einen bestimmten Betrag zu überweisen, und dafür würde ich ab meinem 65. Lebensjahr eine attraktive Zusatzrente bekommen. Das führt praktisch immer zu folgendem Standardgespräch:

– Zusatz wozu?

– Bitte?

– Egal. Warum?

– So müssen Sie dann keine Angst mehr vor dem Alter haben.

– Warum sollte ich Angst vor dem Alter haben?

– Lesen Sie denn keine Zeitung?

– Doch, aber das macht mir eigentlich nicht mehr Angst vor dem Alter als vor der Gegenwart.

– Nun, wenn das so ist, kann ich Ihnen auch noch ein paar sehr interessante Broschüren von uns zu diesem Thema schicken.

– Und die machen mir dann Angst vor dem Alter?

– Nur ganz kurz, weil, dann erklären wir Ihnen auch gleich

wieder, wie Sie keine Angst mehr vor dem Alter haben müssen.

– Klingt fair.

– Dafür sind wir da. Geben Sie alles in unsere Hände, wir kümmern uns dann schon um Sie im Alter.

– Hmmm, und wenn ich vorher sterbe?

– Na, dann müssen Sie erst recht keine Angst mehr vorm Alter haben.

– Ach so?

– Kleiner Scherz, aber keine Angst, weil statistisch gesehen ist das sehr, sehr unwahrscheinlich, praktisch unmöglich, glauben Sie mir, Sie werden sehr, sehr alt werden.

– Ach. Sicher?

– Ziemlich sicher.

– Na, wenn Sie da so sicher sind, könnten Sie mir ja auch jetzt jeden Monat einen festen Betrag überweisen, und dafür zahle ich Ihnen ab meinem 65. Lebensjahr die attraktive Zusatzrente.

Dann legen sie meistens auf. Fast alle. Außer einem, der für sich privat doch sehr an meinem Angebot interessiert war, da er den Rentenprodukten seines Hauses auch nicht so richtig über den Weg traute. Na, wo ich ihn schon mal so weit hatte, habe ich ihm dann auch noch gleich meine Reisetasche für verbesserten Handyempfang verkauft.

# Register

**Algebra**
Ein weites Feld, jeder hat es mal in der Schule gelernt, die meisten erinnern sich aber später, so wie ich, nur noch an das Wort.

**Baden-Württemberg**
Da, wo alles funktioniert und besser ist, aber trotzdem gehen viele von dort nach Berlin, wo nichts funktioniert und alles schlechter ist. Wird schon seine Gründe haben.

**Bahn-AG, Deutsche**
Besser als ihr Ruf, ganz oft bekommt man gratis viel mehr Fahrzeit, als einem eigentlich zusteht.

**Bahnhof Zoo**
Gleich neben dem Zoo, deshalb heißt der so.

**Bebra**
Weiß ich leider nichts drüber. War selbst noch nie da, und alle, die schon mal da waren und die ich gefragt habe, konnten sich auch an nichts mehr erinnern.

**Berlin**
Die Perle im Herzen Brandenburgs.

**Bielefeld**
Besser als sein Ruf, was allerdings nicht schwer ist.

## Bonn

Überraschend schöne, sehr angenehme Stadt, allerdings ziemlich unübersichtlich. Habe dort zum ersten Mal bei einem Navigationssystem im Auto einen Systemabsturz wegen Überforderung erlebt.

## Braunschweig

Der Braunschweiger selbst mag seine Stadt, und die Stadt dankt es ihm, so gut sie kann.

## BVG

Berliner Verkehrs Betriebe (keiner weiß, was das «G» soll). Wer Berlin verstehen will, muss die BVG verstehen, sobald mal etwas gut ist und funktioniert, interessiert es die BVG nicht mehr, es wird abgeschafft und durch etwas Abstruses ersetzt. So bleibt man im Gespräch.

## Cassettenrecorder

Wahrscheinlich sind wir die letzte Generation, die noch weiß, was das ist.

## Diepholz

Kleine Kreisstadt eines großen Kreises; wer schon mal in Diepholz war, lacht nur schon bei der Erwähnung des Namens, keine Ahnung, wieso.

## Düsseldorf

Unfassbar freundliche Menschen dort, so freundlich, dass man schon auch immer denkt, die planen doch was, aber is' gar nicht.

**Düsseldorfer Altstadt**
Wenn man wach ist und bleiben will, ist nichts dagegen zu sagen, im Gegenteil.

**Frankfurt**
Viele denken, Frankfurt, das sind doch nur Banken, aber stimmt gar nicht, es gibt auch viele Versicherungen da.

**Friedrichshain**
Der Friedrichshainer mag es nicht, wenn man Friedelhain sagt; wenn der Friedrichshainer Durst hat, macht er eine Kneipe auf; es gibt viel Durst in Friedrichshain.

**Germering**
Ein paar S-Bahnhöfe von München entfernt, alles Weitere erklärt der Germeringer dann gerne vor Ort.

**Hermannplatz**
Letzter U-Bahnhof vor Neukölln.

**Hildesheim**
Kenne es nur vom Zug aus, bis zum nächsten Buch will ich da aber mal aussteigen, um endlich mal Genaueres sagen zu können.

**Hypotenuse**
Im rechtwinkligen Dreieck die dem rechten Winkel gegen-überliegende Seite, ist, glaub ich, so korrekt.

**Katheten**
Die andern Seiten vom rechtwinkligen Dreieck, sind immer zu zweit, der Volksmund sagt, ohne Katheten keine Hypotenuse, und da hat er natürlich wieder einmal recht.

**Kreuzberg**
Gibt's so heute eigentlich nicht mehr, aber immer noch schön.

**London**
Wie Berlin, nur größer und nebliger.

**MacArthur Park**
Lied, beginnt mit: «Someone left the cake out in the rain», also irgendwer hat den Kuchen im Regen stehen lassen, ist halt aus den 70er Jahren, damals waren auch die Liedtexte noch irgendwie psychedelischer.

**Mainz**
Die Menschen dort glauben, sie seien nur ein Karnevalsverein, weiß nicht, ob sie es sich da nicht zu einfach machen.

**Martyrium**
Das muss jeder mit sich ausmachen.

**Mecklenburg-Vorpommern**
Wird manchmal vergessen, dass da ja zwischen Brandenburg und Ostsee noch was ist, dabei ist es wunderschön.

**Mehringdamm**
Schon imposant.

### Minden

Echt wunderschöne Stadt, sieht man allerdings vom Bahnhof aus gar nicht; man muss den Mindenern aber sehr hoch anrechnen, dass sie, kurz nachdem ich den Text «Fahrtenschreiber 2» geschrieben habe, den Bahnhof abgerissen und neu gebaut haben, sehr nette Menschen dort.

### Mitropa

Speisewagengesellschaft der Bahn AG. Die sind schon okay.

### Möllemann, Jürgen W.

Polittausendsassa der FDP, 2003 leider aus heiterem Himmel verstorben.

### Mona Lisa

Sehr teures Bild, hängt in Paris und grinst dort vor sich hin.

### München

Der Münchner selbst liebt seine Stadt.

### Münster

Münster ist kürzlich zur Stadt mit der höchsten Lebensqualität in Deutschland gewählt worden. Berlin kam bei derselben Wahl auf den drittletzten Platz. Das musste ja mal so kommen!

### Niedersachsen

Würde man Niedersachsen auf, sagen wir mal, tausend Quadratmeter zusammenfassen, dann wär da aber die Hölle los; so jedoch verläuft sich alles ein wenig.

## Öhringen
Sehr nette Stadt in Baden-Würtemberg, na ja, die Fußweg-geschichte ist schon ein wenig übertrieben.

## Osnabrück
Osnabrück hat das große Glück, sich auf «Glück» zu reimen, deshalb ist es erstaunlich präsent in Liedtexten und Gedichten. Ganz schön clever.

## Patentamt
Irgendwann werd ich nochmal aufs Patentamt gehen und sagen: «Guten Tag, ich habe eine wichtige Erfindung gemacht.» Das gehört wirklich zu den Dingen, die ich noch unbedingt in meinem Leben machen will.

## Pforzheim
Es gehört zu den überraschendsten Beobachtungen, dass gerade in den Städten, die jetzt nicht so irrsinnig schön sind, zumeist die nettesten Menschen leben: Es gibt da wirklich eine erstaunlich präzise Relation, die Menschen in Pforzheim sind wirklich außerordentlich nett.

## Potsdamer Platz
Der Platz, der am häufigsten (5-mal) in diesem Buch vorkommt; irgendwie ist er also doch das neue Zentrum Berlins geworden.

## Premium
Wenn der Berliner etwas richtig gut findet, nennt er es Premium. Gibt's nicht oft. Richtig gut jedoch ist die Premium-monatskarte der → BVG, mit der man rund um die Uhr ein Fahrrad und nach 20.00 Uhr und am Wochenende sogar

noch eine zweite Person mitnehmen kann. Das finden alle toll. Deshalb wird die → BVG diese Karte wahrscheinlich auch demnächst abschaffen.

**Rhein**
Vater.

**Rheine**
Stadt im Münsterland, dort wohnen Helden.

**Stade**
Stadt der Äpfel.

**Stuttgart**
Besser als sein Ruf, das mein ich ernst.

**Südstern**
Kein Himmelskörper, nur ein U-Bahnhof in Berlin, bekannt als der letzte U-Bahnhof vor dem → Hermannplatz, der als der letzte U-Bahnhof vor Neukölln bekannt ist.

**Trigonometrie**
Klingt so hübsch und ist doch so voller Rätsel.

**Universum**
Jeder hat sein eigenes oder sollte es zumindest haben.

**Weltall**
Wenn das irgendwann mal so richtig erforscht ist und alle Rätsel gelöst sind, dann fahr ich danach aber gleich als Nächstes nach → Hildesheim.

**Wim Wenders**

Regisseur von Weltruf, eigentlich ein bisschen ungerecht, dass ich ihn als Sinnbild für Langsamkeit genommen habe, normal hätte ich lieber und besser Eric Rohmer genommen, aber im Vorlesen hat «Wim-Wenders-Film» einfach mehr Rhythmus als «Eric-Rohmer-Film», deshalb ist das so, dafür muss Herr Wenders doch Verständnis haben.

## Über den Autor

Horst Evers wurde 1967 in der Nähe von Diepholz in Niedersachsen geboren. Kindheit dort erfolgreich abgeschlossen,
des Studiums wegen 1987 nach Berlin gezogen. Dort lebt er
nach wie vor, mittlerweile mit Kind und Freundin. Das Studium (Publizistik, Germanistik und Sozialkunde) Mitte der
90er Jahre versehentlich vergessen, dann doch noch erfolgreich abgebrochen. Seit 1990 steht Horst Evers regelmäßig
auf Berliner Kleinkunstbühnen – unter anderem jeden Sonn-
tag um 13.00 Uhr im «Frühschoppen» im Jazzclub Schlot in
der Chausseestraße, Berlin-Mitte.
Seit 2001 ist er mit seinen Soloprogrammen «Evers erklärt
die Welt» und «Gefühltes Wissen» auch außerhalb von Berlin
zu sehen. Mit seinen Geschichten gewann er (gemeinsam
mit Bov Bjerg) 1996 den Theodor-Adorno-Ähnlichkeitswett-
bewerb, einen Vorlesewettbewerb der *Titanic* und mehrere
Kleinkunst- und Kabarettpreise (u. a. Paulaner Solo 2000,
den Prix Pantheon und den Salzburger Stier 2001 sowie mit
dem Mittwochsfazit den deutschen Kabarettpreis 2003).
1997 erschien sein erster Band mit Erzählungen: *Wedding*.
2002 erschien im Eichborn Verlag der Erzählband *Die Welt ist
nicht immer Freitag*.

**Horst Evers bei
Rowohlt · Berlin und rororo**

Der König von Berlin

Die Welt ist nicht immer Freitag

Für Eile fehlt mir die Zeit

Gefühltes Wissen

Lustig, lustig, tralalalala
(mit Mia Morgowski u. a.)

Mein Leben als Suchmaschine

Urlaub mit Punkt Punkt Punkt
(mit Rita Falk u. a.)

Vom Mentalen her quasi Weltmeister

Wäre ich du, würde ich mich lieben